LOCUS

LOCUS

LOCUS

LOCUS

RECREATION

R72
病毒末日 （化學花園3）
The Chemical Garden Trilogy 3: Sever

作者：蘿倫・戴斯特法諾（Lauren Destefano）
譯者：謝儀霏
責任編輯：翁淑靜
美術設計：江宜蔚
校對：陳錦輝
法律顧問：全理法律事務所董安丹律師
出版者：大塊文化出版股份有限公司
台北市10550南京東路四段25號11樓
www.locuspublishing.com

讀者服務專線：**0800-006689**
TEL：(02) 87123898　FAX：(02) 87123897
郵撥帳號：18955675　戶名：大塊文化出版股份有限公司

總經銷：大和書報圖書股份有限公司　地址：新北市新莊區五工五路2號
TEL：(02) 89902588　FAX：(02) 22901658
排版：洪素貞 製版：瑞豐實業股份有限公司
初版一刷：2016年4月

定價：新台幣280元
Printed in Taiwan

病毒末日/ 蘿倫.戴斯特法諾(Lauren Destefano)著 ; 謝儀霏譯.
-- 初版. -- 臺北市 : 大塊文化, 2016.04
　面； 公分. -- (R ; 72)(化學花園 ; 3)
譯自 : Sever
ISBN 978-986-213-690-4(平裝)

874.57　105002689

化學花園第三集

病毒末日

The Chemical Garden Trilogy 3

Sever

作者──蘿倫・戴斯特法諾 Lauren Destefano
譯者──謝儀霏

我必得投身奮戰，以免在絕望中凋零。

——丁尼生（Alfred, Lord Tennyson）

第一章

地圖集上的那條河依然川流不息，細長的河道把貨物運送到如今已不復存在的目的地。我與河同名，若這當中有什麼命名典故的話，也隨著我的父母長眠了。倒是這條河一直在我的白日夢中徘徊不去，我想像河流分支注入遼闊的大海，隱沒在沉入水中的城市裡，盛裝訊息的瓶子在其中載浮載沉。

我浪費太多時間在這一頁上了，真的應該專心在北美洲上，標出從佛羅里達海岸線到羅德島普羅維登斯的路徑，我的孿生哥哥才剛在那裡炸了一棟醫院，因為該院進行胚胎的科學研究。

不知道有多少人因此而喪命。

林登坐立難安。我告訴他我要往哪裡去時，他這麼說：「我連妳有個哥哥都不知道。要是一一列出妳不為我知的那一面的話，恐怕清單每天都會加長，是吧？」

他語氣很酸。他對這一切很不滿——我們的婚姻、收場的方式，以及其實沒有真正了斷的事實。

我的姊妹妻看著窗外，火紅的秀髮像是穿過秋葉的光。她小聲地說：「快下雨了。」她之所以會出來，完全是因為我的堅持。我的前夫仍然不太相信她在他父親沃恩的家裡有危險，又或者他確實相信；我不太確定。因為這些日子以來，他除了問我感覺如何、告訴我很快可以出院之外，幾乎不和我交談。我應該自覺幸運，這裡大多數的病人都擠在大廳裡，不然就是一間病房塞十幾個人，沒被醫院拒收就算好的了，而我還擁有舒適與隱私。這種等級的住院待遇是留給富豪的，我能享受到是因為公公幾乎擁有佛羅里達州每一家醫療院所。

因為輸血的血漿總是供不應求，也因為我在神智不清的狀態下割開自己的大腿，造成失血過多，我的復原之路相當漫長。既然現在我的血液已能再生，院方想要一次抽出一點進行分析，確定我真的在復原。院方都認為我的身體對沃恩對付病毒的嘗試並無反應。我不確定沃恩到底怎麼跟院方說的，但他總是有本事到處發揮影響力。

他們說，我的血型與眾不同。即使有更多人為了醫院微薄的酬勞而捐血，他們也找不到能與我配對的血型。

西西莉之所以提到下雨，是為了轉移林登的注意力，讓他不要一直盯著剛幫我手臂消毒的護士瞧。但是沒用。林登碧綠的眼睛始終盯著我的血液，看著血液在針筒裡上升。我把地圖集放在蓋著毯子的大腿上，翻著書頁。

我找到了北美洲，唯一倖存的大陸，即使並不完整；上面有不利人居的地方，以前叫加拿大和墨西哥。過去那裡人口眾多，有好幾個國家，但如今都被戰爭摧殘殆盡，遙遠、不復記憶，此刻乏人問津。

「林登？」西西莉碰了碰他的手臂，喚著他。

林登轉過頭來，但沒有看她。

「林登。」西西莉又叫了一聲。「我得吃點東西，我頭有點痛。」

如此終於喚起他的注意力，因為西西莉懷有四個月身孕，容易貧血。林登說：「妳想吃什麼，親愛的？」

「我剛才看到自助餐廳有賣布朗尼。」

林登皺眉，告訴西西莉該吃些更營養的東西，但是最終還是不敵她的嬌嗔。

林登前腳踏出我的病房，西西莉就在我的床沿坐下，下巴靠著我的肩，一起看地圖集。護士離開病房，堆滿手術器械的推車載走我的血液。

自從入院以來，這是我第一次和姊妹妻獨處。她伸出手指，順著地圖上的國界移動，然後在大西洋上繞圈圈，一邊嘆氣。

「林登在氣我。」她說，語氣中雖少不了自責，但也沒有她一貫動不動就要哭的模樣。「他說妳可能會死掉。」

我在沃恩的地下實驗室待了好幾個月，淪為無數實驗的受試者，而林登在樓上行走坐臥卻渾然不覺。西西莉來看我，談論怎麼協助我脫逃，卻未對林登透露隻字片語。

這不是她第一次背叛我；不過，和上次一樣，我相信她是想幫忙。她會把靜脈注射拔掉、毀損儀器，破壞沃恩的實驗。我想她的目的是讓我保持清醒，至少能夠走出後門。但是西西莉畢竟只有十四歲，她不明白我們的公公老謀深算，憑她一己之力難以撼動。我們都不是他的對手。這些年來，他甚至有辦法讓林登對他深信不疑。

儘管如此，我還是問了：「妳為什麼不告訴林登？」

她顫抖地深呼吸，然後坐直身體。我看著她，但她避開我的目光。我不想讓她因為罪惡感而退縮，於是看著打開的地圖集。

「妳的離開讓林登心都碎了。他很生氣沒錯，但也傷透了心。他不願意談這件事，把妳的房門關上，不准我打開，他也不再畫畫。他花很多時間陪我和鮑文，這點我很開心，但我也看得出來他這麼做是為了忘掉妳。」西西莉深吸一口氣，把書翻到下一頁。

有好幾秒我們同時瞪著南美洲，然後她又開口：「後來，他終於好一點了。他提到要帶我去即將舉辦的春季博覽會。然後妳回來了。我心想，如果他看到妳，他之前的努力都會前功盡棄。」此時她注視著我，棕色的眼眸顯得犀利。「反正妳也不想回去，所以我想我可以讓妳再次逃亡，而他永遠都不需要知道，皆大歡喜。」

從她嘴裡吐出的「歡喜」二字，像是全世界最悲慘的事。她的聲音哽咽。一年前的她，這個時候一定會開始哭。我記得在我逃走的前一天，我把西西莉獨自留在路旁的雪堤尖叫哭泣，她發現因為她向公公告發珍娜助我逃跑，而讓公公決定處分珍娜，驚覺背叛珍娜的罪魁禍首是她自己。

但是從那時候起，西西莉也成長了。有了孩子，並忍受失去婚姻中的兩位夥伴，讓她變得成熟。

「林登是對的，妳可能會因此喪命，而我……」她用力吞著口水，但是眼神還是緊盯著我。「要是那樣，我沒辦法原諒自己。我很抱歉，萊茵。」

我伸出手臂攬住她的肩。她靠在我身上。

我對著她的耳朵說：「沃恩是危險人物，林登不願意相信，但我認為妳懂。」

「我知道。」她說。

「他監視著妳的一舉一動，就像他監視我一樣。」

「我知道。」

「他殺了珍娜。」

「我知道，我都知道。」

「不要讓林登說服妳相信沃恩，不要讓妳自己落單，免得和沃恩獨處。」

「妳可以逃跑，但我不能。那是我的家，除此之外我別無所有。」

林登在門口咳了一聲。西西莉一躍而起，踮起腳尖吻了他一下，從他手中接過布朗尼，然後撕開外頭的塑膠包裝紙。她在椅子上坐定，抬起腫脹的雙腳翹在窗臺上。她老是會忽視林登想要和我獨處的暗示，這點在我們的婚姻生活中還滿煩人的，但此時此刻卻叫人鬆一口氣。我其實不知道他到底想對我說什麼，只知道他的坐立不安意味著他想私下說話，對此，我避之唯恐不及。

我看著西西莉小口小口咬著布朗尼的邊緣，同時拍著掉落在衣襟上的碎屑。她注意到林登的焦躁，但她也知道林登不會開口叫她離開，因為她懷著身孕，也因為她是他僅存也唯一真心愛慕他的妻子。

林登拾起他丟在椅子上的素描本，然後坐下，想讓自己埋首於檢視建築設計。我有點為他難過，他從來就不夠權威去要求他想要的東西。雖然我心知肚明他渴望對我說的話最終會讓我心生罪惡感，讓我不好過。但這是我虧欠他的。

「西西莉。」我開口。

「嗯？」她回應，蛋糕屑從唇邊掉落。

「讓我和林登獨處幾分鐘。」

她瞥了林登一眼，林登回看她，並沒有表示反對，西西莉眼神回到我身上。

她嘆了口氣。「好吧，反正我也要去尿尿。」

她走出去，帶上門後，林登闔上素描本，說：「謝了。」

我坐直身體，把大腿上的床單撫平，然後點點頭，避免眼神接觸。「你想說什麼？」我問。

「院方明天要讓妳出院。妳有什麼打算？」他說，坐到我床邊的椅子上。

「我從來就不善於計畫，但是我會想出來的。」我說。

「妳要怎麼找到妳哥哥？羅德島在幾百哩之外。」

「粗估距離一千三百哩。我一直都在研究這個。」

他皺眉。「妳還在復原階段，妳應該再休息幾天。」

我闔上地圖集。「反正我也沒別的地方可以去，還不如趕緊上路。」

「妳明知事情不是如此，妳有一個……」他遲疑了一下。「一個棲身之處。」

他沒說出口的字是「家」。

我沒作聲，沉默填滿林登欲吐露的千言萬語。話語宛如鬼魅，縈繞在片片塵埃中，泅泳於一道道光束裡。

他再度開口。「或者，還有另一個選擇。我伯伯。」

他這話一出使我盯著他瞧，也許因為我一臉狐疑，他好像被逗樂了。他說：「我父親多年前和他斷絕關係了，那時我還很小。我應該要假裝他不存在，但他其實住得不遠。」

「他是你父親的哥哥？」我說，語帶懷疑。

「沒錯。他人有點怪，但蘿絲喜歡他。」林登說最後一句話時笑了一下，臉頰紅潤明亮。很奇怪的是，我覺得這樣好多了。

「她見過他？」我問。

「只有一次。我們那時在前往宴會的路上，蘿絲往駕駛座靠了過來，說：『實在很厭倦那些無聊的事情，帶我們去別的地方吧。』所以我給了司機我伯伯的地址，那天晚上就待在他家，吃著我們所吃過最難吃的咖啡奶酥蛋糕。」

這是他第一次在蘿絲過世後提起她，不因會心痛而畏縮。

「我父親恨我伯父，反倒讓蘿絲覺得伯父更有意思了。」林登繼續說。「他太偏自然派了，和我父親調性不和。而且老實說，他真的有點怪。我得對拜訪他一事保密。」

林登也有他叛逆的一面，誰知道呢。他伸手把我的頭髮順到耳後，因為習慣而讓這個動作如此自然，等到他發現不該如此時，他趕緊縮手。

「抱歉。」他咕噥著說。

「沒關係，我會好好考慮的。」這些字就這樣迸出來，我有點語無倫次。「你剛說的……我是說……我會考慮的。」

第二章

西西莉把身體探出加長禮車敞開的車窗，秀髮隨風舞動，像是纏繞在掛勾上的絲帶。被爸爸攬在懷裡的鮑文，伸出手要抓住媽媽的髮絲。難以置信，我不在的這段時間，鮑文竟然長大這麼多。他是泰迪熊版的小男孩，胖嘟嘟的，人見人愛，雙頰像蘋果般紅潤。他出生時一頭黑髮，如今漸漸變淡，成為銅金色；閃亮的藍眼珠也逐漸轉成淡褐色。我猜應該神似嬰兒時期的西西莉，不過我們也無從證實。鮑文桀傲不馴的下巴、稀疏的睫毛，都得自媽媽的真傳。他五官中明顯的林登特徵也隨著日子一天天消失。

不過他是個漂亮寶寶，西西莉為他瘋狂，她深愛兒子的程度，我從來沒在其他人身上見過。即使是現在，雖然她迎著窗外急促閃過的藍天，卻仍為鮑文唱著搖籃曲。我聽出歌詞是出自妻妾樓圖書室中一本書裡的詩——珍娜以前都會大聲朗讀。

池中之蛙夜半歌唱，
野生梅樹潔白顫動，

知更鳥披火紅羽衣
矗立矮籬鳴囀幻夢……

西沉的夕陽，將大地染橘。我握拳摩搓膝頭，惶惶不安。我不敢相信沃恩為此讓我們使用加長禮車。也許他這麼做是為了討好林登，表現出痛改前非又可靠的樣子以操縱林登。我一心認為司機會背叛我們，把我載回官邸。但是他卻一路前行，深入鄉間小道，於是我原本的恐懼逐漸釋放。四處雜草叢生，偶爾有一棵樹孤伶伶地出現在地平線上。

西西莉暫停歌唱，問道：「我們在哪裡？」然後往後靠在椅背上。

「在某個鄉下地方，有點難描述，我從來就不知道路名。」林登回答。

西西莉傾身接過小嬰兒，一手拖著他的頭，在他的肚皮上猛親，發出誇張的聲響。鮑文咯咯的笑聲讓她微笑不已。

林登告訴司機：「在這邊轉彎，開進小路，跟著胎痕走。」

即使是平穩舒適如加長型禮車，開進這坑坑疤疤的路段，也顛簸了起來。幾分鐘之後，我們見到方圓十哩內唯一的房舍：兩層樓的磚造房屋，看起來和沃恩的官邸一樣年代久遠又牢固，但是格局小很多。環繞房屋的六塊防水布，看起來就像六尊汽車形狀的黑色鬼魅，還有一幢破爛的棚屋與磨坊。房子的屋頂覆蓋著反光板。

西西莉吸了吸鼻子，轉身對林登說：「我們不能把她留在這裡，這裡簡直就像垃圾堆。」

「沒有看起來那麼糟啦。」林登說。

「他家的屋頂是錫箔紙！」

「那是太陽能板，這樣就不需要用那麼多電。」林登耐著性子解釋。

西西莉正準備開口反駁。但我說：「只是暫時待幾天罷了，看起來還好。」有件事我倒是沒提，雖然這和官邸的豪華差了一截，卻和我成長環境中的房舍一樣好。太陽能板在曼哈頓也不是什麼新鮮事，當地很多人無力負擔電費。

車子停了下來，我很快打開我這一側的車門，因為擔心催眠瓦斯噴出，或車門突然上鎖，或從出風口竄出毒蛇把我勒斃。

夜色方至，方圓幾哩內不見人煙，黑暗從四面八方朝我蔓延而來。滿天星斗明亮閃爍，深淺不一的粉紅與藍色星光點點，勾勒出一片孤單的橢圓形雲朵輪廓。

林登走過來站在我身旁，跟隨我的視線凝望夜空，說：「我小的時候，伯伯曾告訴我所有星座的名字。但是我總是找不到。」

「但你知道哪一顆是北極星呀。」我提醒他。我記得他曾告訴過西西莉，而西西莉因為他不夠浪漫而有幾分洩氣。

「就在那裡。」他說，順著我手指的方向看去。

「那是小熊座的尾巴。」我說，手指沿著對應的星子畫著。「我最喜歡這個星座，看起來很像風箏。」

「我看到了。」他輕輕地說，好像很驚訝。「但我以為小熊座應該是杓子的形狀。」

「這個嘛，我覺得像風箏，一直以來我都是這樣找到這個星座的。」我說。

他轉身面對我，我可以感受到他的呼吸，非常微弱無力，只能吹動我臉龐邊最細柔的髮絲。我不敢把視線從星星上移開，心噗通噗通地跳，回憶湧上心頭。我想起他的手指解開我的鞋，雙手緩緩向上，遊走在我紅色小禮服的肩帶下，他的唇貼著我的。我想起我們從博覽會夜歸時，燈光全暗的臥房裡充滿了長春藤與香檳杯。我想起我們道別的那晚，雪花灑滿他的雙肩和一頭黑髮。

西西莉用力關上車門，冷不妨將我帶回現實。「如果萊茵今晚要在這裡過夜，我也要，才能確保她不會遭到哪個掌管這裡的瘋子給謀殺了。」她說。

我開口想斥責她太過無禮，想告訴她林登的伯父願意收留我已經夠好心了，再開口要求更多只顯得不知感激。我還想順帶指出她身高勉強才到我的肩膀，如果我都沒辦法擊退瘋子，她哪可能有勝算？

但是這些話都沒說出口。想到我僅有的姊妹妻要回到那宅子，我就手心冒汗。沃恩把她矇在鼓裡時她很安全，但現在她已看過沃恩地下室的運作，她瞭解沃恩的能耐，我很擔心她的安危。

「我伯伯不是瘋子。」林登說，再次打開車門，把一路上在車廂裡滑過來滑過去的手提箱拉出來。

「那為什麼你父親這麼恨他？」西西莉問。

林登的父親無權評斷誰是瘋子、誰又不是，但是這話我也沒說出口。我靠在禮車的後車廂上，因為開始覺得有點頭昏眼花，眼前的星星不斷跳動。林登是對的，再度踏上冒險旅程之前，我的確需要好好休息。放眼望去，空無一物，世界是如此遙遠，所有的努力，所有的里程都尚未完成。我在沃恩的恐怖地下室足足待了兩個多月，兩個月的時間感覺像是十分鐘。蓋布利歐一定以為我死了，就像我哥哥以為我死了一樣。

但是悲傷太多，沮喪太滿，所以我的身體發展出一種防衛機制，讓我不去想這些。我的腦袋麻木，骨頭開始疼痛，耳朵裡有颶風盤旋。一陣急遽的痛楚在我眼前劃下一道閃電似的白光。

西西莉和林登在聊天，談著古怪和瘋狂的定義，大概是這樣吧，然後他們開始打斷對方的話，對話愈見短促。林登有著聖人般的耐性，但是西西莉就是有辦法讓人不耐煩。

「妳還好嗎？」西西莉問我，我才發覺他們已經領先我幾呎，往房屋走去了。林登轉身看著我，肩上掛著鮑文的尿布袋，手上提著手提箱，他從我的舊衣櫥裡幫我打包了幾件衣服。

我點點頭，跟在他們後面。

林登敲門，但無人回應。他再用力敲，然後想從唯一可見的窗戶看進去，但是被窗簾遮住了。「里德伯伯？」他叫著，敲著窗玻璃。

「他知道我們要來嗎？」我問。

「上星期我來看他時有說。」他回答。

「你多久過來這裡一次？你都沒跟我說過。」西西莉問，語氣中有點受傷的感覺。

「我一直把這事當成祕密……」林登聲音漸漸變小，不知道在自言自語什麼，一邊探看窗簾縫。「我好像看到裡面有燈光。」他再次敲門，還是無人應門，於是他自己開了門。

西西莉把鮑文摟在懷裡，護住他的頭，憂心忡忡地看著一片漆黑的屋內。「林登，你確定要進去嗎？」但是他已經率先走進屋內了。

我跟著他，我的姊妹妻拖著腳步緊跟在後，緊抓我的裙襬。

屋裡很暗，林登走在我前面，我幾乎看不清楚他的身形。我們走過很長的走廊，腳下的木頭嘎吱作響，室內瀰漫著香柏的煙薰味與霉味。走廊盡頭的房間裡，透出一道微弱搖曳的昏黃光線。

到了房門口，我們站在林登的左右兩側，這裡是廚房——至少我這麼認為，裡頭有水槽和爐子，但是沒有碗櫥，只有層架，上面塞滿了雜七雜八的東西，在黑暗中我也看不出來是什麼。

房間裡頭有一張小圓桌，燭光在桌上的玻璃瓶內搖曳。一名男子坐在桌前，弓著背專注於看起來有點像是大型金屬器官的東西。上頭的電線、管路、齒輪是主動脈，組成了機械心臟，黑油流淌到桌面上，沾滿了男子的手指。

「里德伯伯？」林登喚著。

男子咕噥著，拿著鉗子做著複雜、精細的活，之後才抬起頭來。他先看到我，然後是西西莉。「這些是你的妻子？」他開口。

林登遲疑了一會兒，但用不著他回答，因為男子完全不講禮節地又回頭工作，加了一句：「我以為你說過你有三個妻子。」

「只有兩個。」林登說，幾乎不帶感情，讓我頓了一下，好像珍娜從來就不存在。「還有，這是我兒子，鮑文。」他又說，從西西莉手中接過小娃兒。

那男子——里德——停頓了一會兒，好像有幾分驚訝。但然後他只咕噥幾聲，「長得不像你。」他說。

西西莉玩著牆上的電燈開關，但開關壞掉了。「請不要碰任何東西，」里德說，用一條破布抹抹手，但只讓油漬更擴散。他走到水槽邊，水龍頭顫動了半天，才噴出一道不穩定的水流。就著燭光視線不清，不過我想我看到水裡摻著黑色雜質。里德喃喃咒罵著。

里德拉了拉頭上方的細繩，天花板上垂吊著的燈泡發出朦朧的光，盈滿室內。影子來回跳躍，給瓶罐、管線與塞滿層架的無知覺物品賦予生命。房裡的一角有部冰箱，卻沒發出通電的嗡嗡聲，一副沒在使用的跡象。

里德靠過來，仔細看著林登臂彎裡的嬰兒。鮑文目不轉睛盯著搖晃的燈泡。「不像，完全不像你。」里德重申他的看法。「他是誰生的？」

「我生的。」西西莉發言。

里德輕蔑地哼了一聲。「妳幾歲？十歲？」

「十四歲。」西西莉咬牙切齒地說。

里德移動步伐站到我面前時，我聞到一陣猛烈的煙薰味，嗆得我眼淚直流，不過他長得一點都不像沃恩，真是謝天謝地。他沒有那麼高，稍微過胖，灰白的頭髮就像打在岩石上的浪花那般狂野。「我以為妳死了。」他對我說。

可以想見我看起來一定比我自己以為的更糟糕。但林登說：「伯伯，她不是蘿絲，她叫萊茵。記得前幾天我跟你說過？」

「喔，對喔，對喔，我一向不會記名字，記臉比較容易。」里德說。

「一直有人說我長得像她。」我主動解釋。

「何止像，寶貝，妳簡直是她的鬼魂。妳相信輪迴轉世嗎？」里德說。

西西莉憤怒地說：「她不可能是蘿絲投胎轉世，她們曾經同時活著啊。」

里德看著她，一臉好像不小心踩到她的表情。西西莉往林登身邊靠去。

里德又轉回來對我說：「告訴我，因為我侄兒的說法不清不楚的。妳要從他身邊逃走，而他在幫妳？」

我回答：「要這麼說也可以，但我不是逃走，不算。我要去找我哥哥。」里德的眼神、屋子裡的氣味，與那充滿了審訊意味的光線色調，讓我喉頭哽咽。「上一次得到消息，他在羅德島。他捲進一起……狀況，我必須找到他。住在你家的這段期間我不會惹任何麻煩。」我一字一句接連吐出，速度很快，林登一手放在我的手臂上，不知為何，他的舉動讓我安心。

里德上下打量我，歪著嘴像在思考。他說：「妳頭髮太多了，妳得把頭髮紮起來，才不會捲到機器裡。」

我完全不知道他在說什麼，但還是應了聲「好」。

「我跟他說過，妳可以幫點忙，不會是什麼費力的工作，他知道妳身體還在復原中。」林登說。

「因為妳出車禍。行！」里德說。我不知道林登用什麼說詞來解釋我的傷，但從他的語氣聽來，他其實並不相信，或者根本不在乎。「樓上有間房，妳可以放東西，我侄兒會帶妳去。由於地板踩上去會嘎吱作響得很厲害，所以我請妳晚上不要走來走去。」

很顯然他在暗示我們離開，因為他馬上把注意力放在桌上的機械玩意兒。林登帶我們通過走廊。

「喔，林登。」西西莉用氣音說，階梯的嘎吱聲幾乎蓋過她的聲音。「我知道你很氣萊茵，但是你不能真的把她留在這裡。」

「我是在幫萊茵的忙，況且她可以照顧自己。」林登回答。他轉頭看我，我在他下面兩階。「妳可以嗎？」他說。

我點點頭，彷彿我一點都不因他這前所未見的冷淡而不知所措。不至於像他父親那麼殘忍，但也不像那些靜謐夜晚來找我的丈夫那麼溫暖，有點介於兩者之間。這個林登從未和我十指交扣，從未在一列被採花賊擄來的惶恐女孩中挑選我，從未在無數的七彩燈光下說愛我。對彼此而言，我們什麼都不是。

里德也許忘了我的名字，但卻沒忘記我要來，因為客房已點好三根蠟燭——一根在床頭櫃上，另外兩根在梳妝臺上。再加兩張單人床，就是這房間裡僅有的陳設了。一側牆面上掛著中間有一道裂痕的鏡子，我的倒影隱沒在黑暗中。蘿絲的鬼魂。我有點希望它別再附在我身上了。

西西莉把手提箱和尿布袋丟在地上，她坐到床墊上時，一陣灰塵隨之揚起。她誇張地猛咳。

「還好啦。」我說，抖一抖枕頭。

「我根本不敢問有沒有浴室可以讓我用。」西西莉說。

「走廊走到底就是了。」林登說，用食指揉著他的鼻梁，這個舉動我只有在他對自己的繪圖不滿意時才看過。「帶根蠟燭去。」

西西莉離開房間後，我在床沿坐下，並說：「謝謝你，林登。」

他看著鏡中的自己，說：「關於為何妳不和我一起回家。如果妳不主動提起，我伯伯不會主動問妳。」

我們之間出現的沉默很尷尬又不自然。我緊緊抓著毛毯說：「你和西西莉要回那裡去嗎？」

「當然。」他說。

關於地下室發生的一切，關於狄德麗，他始終不相信我。我依稀記得在我吃藥神智不清時曾喃喃提到她，提到珍娜的遺體藏在某個冷凍庫。那時他摩搓著我的手臂，低聲說著話，聽起來像是飛蛾飛進玻璃窗，悶悶的。我試著要去理解那些聽不懂的話。也許，躺在哪裡的我實在太可憐，他別無選擇只好愛我。現在，他說我可以自己照顧自己。現在，我是個騙子，試圖要摧毀他父親為他一手打造的完美世界，我從他身邊逃走，毀了一切。現在，夜已深，分別的時刻來臨。

但是這幾個字終究從我嘴裡吐出。「不要走。」

他看著我。

「不要走，不要把西西莉帶回去那裡。我知道你不相信我，但是我有不好的預感……」我說。

「我可以照顧西西莉，當初我也可以照顧妳的，要是那時我知道妳那麼擔心我父親的話。」他說。

鮑文倚著林登的胸膛睡著了，林登換隻手抱他。「我父親以為如果妳不想嫁給我，他可以擁有妳。都是因為妳的眼睛，他想研究妳的眼睛，但他做得太過分了。他有時候會太執著。」他的眉毛糾結在一起，注視著雙腳，想辦法讓自己的話合情理，從毫無邏輯之處擠出邏輯。「他不是妳想像中的怪物。他只是太投入自己的工作，所以忘了人終究是人。他太得意忘形了。」

「得意忘形？」我咒罵回去。「他把針刺進我的眼睛，林登！他還謀殺了一個新生兒……」

他打斷我。「妳覺得我還不瞭解自己的父親嗎？我信任他在前，然後才相信妳說的話。妳甚至連對我說實話都做不到。」

幾個月前有一晚，我差點說了。就是展覽結束當晚，我半醉半醒，頭髮黏膩，散發著香氣，蓬鬆凌亂，我躺在床上，他爬到我身上，俯身吻著我。我聽見樹枝在月色下對彼此呢喃。然後林登說話了，他離我那麼近，我可以感覺他的氣息拂動我的睫毛。「但是我不知道妳是誰，不知道妳從何而來。」他的眼眸明亮，我欲言又止，多想吐露真言，但那一整夜是那麼美好，那麼超乎尋常，我不放心把祕密交付給這一夜。又或者是我想順水推舟，在魔法把月亮的光芒奪去之前，套上他的戒指，當一會兒他的妻子。

現在我不發一語。他的眼眸已不再為我而發亮。

「如果當初妳不愛我，妳就應該老實說。我會讓妳走的。」他說。

我承認。「你可能會，但你父親不會。」

「我父親從來就管不了我做什麼。」他說。

「你父親一向都在管。」我說。

他瞪著我，我屏息以對。他的眼神波濤洶湧，充滿愛與報復的拉鋸。自從我離開以來，這種情緒每分每秒都在累積。我就是想要這個，不管那是什麼。想要用雙手捧著從他胸膛裡掏出的跳動心臟。想要用我的體熱來溫暖它。

他說：「等西西莉回來，告訴她我在車子旁邊等她。」

然後他轉身離開。

我傳話給西西莉，她說：「我不想留妳一個人在這裡。這地方感覺會讓妳染上癌症什麼的。」她記得「癌症」這個詞，那是從珍娜以前愛看的連續劇裡學來的。這種疾病已從我們的基因中徹底消滅了。

「我不認為癌症會感染。」我告訴她。

「我就擔心這點。」她說。

想必我們太大聲了，因為里德敲了天花板。

西西莉怒氣沖沖地在我身旁坐下。幾秒之後，她伸手環住我的肩，盯著自己的肚子瞧，才懷孕四個月，她看起來已經又疲倦又臃腫。她的雙頰泛紅，指尖也發紅，臉和頭髮微濕，剛才她一定潑過冷水了，孕吐之後她都會這麼做。

「最近一直害喜嗎？」我問她。

她柔聲說：「還好，林登會照顧我。」

我很擔心她。不曉得她或林登有沒有想過，她幾乎沒有休息就再次懷孕。沃恩當然知道這樣有多危險，然而他卻默許，這點讓我更加擔心。我害怕她也會進入那漆黑的走廊、走下階梯，永遠受沃恩的控制。她應該也惶惶不安吧，因為她並沒有起身離開的意思。不知道過了多久，林登主動回來找她。

「準備要走了嗎？」林登站在門口，整個人幾乎沒入陰影中。

「今天晚上我要留在這裡。」她說。

他們定定地看著彼此，以眼神傳意，那是丈夫和妻子之間的溝通，也是我永遠不得要領的。西西莉贏了，因為林登拾起尿布袋說：「明天早上我會來接妳，一大早。」

幾分鐘之後，望著窗外，我們看著禮車駛出視線。

床墊硬梆梆又凹凸不平，西西莉和上一胎懷孕後期一樣不斷打呼，整夜翻來覆去。她踢了我好多次，最後我乾脆拿了枕頭去睡地板。但是躺在硬硬的木頭地板上，不管什麼姿勢都讓我大腿上正在復原的傷口更痛了。我夢見傷口流血，鮮血滲入地板，里德敲著天花板，因為我的血如雨點般落在他的作品上。桌上的引擎有了生命，有脈搏也有呼吸。

在黑暗中，西西莉低喚著我的名字。一開始我還以為那也是夢，但是她叫聲愈來愈大、愈來愈急，我才回應：「怎麼了？」

「妳怎麼睡地板？」我依稀看到她的臉和手臂從床墊往下探，糾結的髮絲從一肩垂下。

「妳會踢人。」我說。

「對不起。回床上來吧，我保證不會再踢了。」

她挪出空間給我，我擠在她身旁躺好。她的皮膚濕黏發熱。「妳不應該穿襪子睡覺。」我告訴她。「這樣無法散熱。上次妳懷孕，半夜總是發燒。」

她的腿在毛毯下扭動，把襪子踢掉，好一陣子才調整到舒服的姿勢，我知道她盡量小心不要打擾我，所以床墊震來震去我也沒吭聲抱怨。最後她終於調整好了，才轉身面對我。

「之前妳去用廁所，是不是因為孕吐？」我問。

「別和林登說。」她邊說邊打著哈欠。「他對這個都會反應過度，他會擔心。」

蘿絲懷孕發生那件事後，林登會有這樣的反應是預料之事，但是對她這麼說好像也不太合適。不過，儘管擔心，不消多久我也不敵疲倦，漸漸入睡。

正當我開始半夢半醒時，聽到西西莉說：「我總想起和我們一起在廂型車裡的其他女孩，那些被殺害的女孩。」

夢倏忽消失，多希望能重回夢境，即使是惡夢也勝過那樣的回憶。我和姊妹妻從未談論這個話題，對於把我們牽繫在一起的恐怖怪事絕口不提。我尤其沒想到會從西西莉口中聽到，畢竟她一直想當個快樂的家庭主婦。

「我只希望妳知道，我不是個殘酷的人。」

我轉頭面對她。「妳當然不是。」

她說：「妳說我是。妳逃走的那一天說的。」

「那時我很沮喪。」我說，撥開她臉上被汗濡濕的一綹頭髮。「但是發生在珍娜身上的事不是妳的錯。」

她顫抖地深吸一口氣，閉上眼睛好一會兒。「是我的錯。」

原本我覺得她會哭，但她沒有。她只是直勾勾看著我，我再次訝異我不在的這段時間裡，她成熟了這麼多。也許她別無選擇，身邊並沒有姊妹妻的慰藉，她所信任的公公只不過在利用她，種種事情她也沒辦法解釋給丈夫聽。

我努力搜尋安慰的字眼，但想來想去都不夠真誠。不管我說什麼，珍娜都已香消玉殞，其他被採花賊擄走的女孩也是，還有被席拉斯和我發現的躺在壕溝的女孩也是。西西莉還是無法活著見到鮑文長大，我哥哥失控地在悲傷的處境裡盤旋，而尋找哥哥的目標從去年至今沒有什麼進展。

我完全無能為力。

「在我們的婚姻生活中，我一直都認為妳年紀太小，不能理解發生在我們身上的事。但是我也覺得自己很微小，無力改變事情的走向，沒有比妳高明。」我說。

「妳看起來是那麼有自信。」她說。「從結婚那一天起，我就很羨慕妳。我暗自決定將來要變得像妳一樣。我要變得更堅強。」她說得斬釘截鐵。

我最做不到的就是堅強。

「睡吧。」我輕聲說。

「萊茵？」

「什麼事？」

「我叫林登要相信妳。我告訴他沃恩戶長真的在地下室做見不得人的勾當。」

我感到一絲希望。林登或許沒有任何理由要相信我，但西西莉的話他會聽，即使只是在遷就她，好讓她不要歇斯底里。「妳真的那麼說？」

「他一開始不願意聽，當時妳在醫院。但是我求他到地下室親眼看一下。」她說。

「他去了嗎？」我問。

「去了。」她說。「但是，他回來以後，說底下根本沒什麼。有一些沃恩戶長的化學藥劑什麼的，很多儀器和操作儀器的侍從，但是沒有屍體，沒有狄德麗。他說一定是妳出現幻覺或憑空想像的。」

希望悠悠遠去，我比一無所有更窮困。「但是妳自己也親眼看過，妳有沒有告訴他？」我窮追不捨地向西西莉確認。

現在，換她撫著我的頭髮試著安慰我了。「我只看到發生在妳身上的事。我希望我有看到更多，我希望我有看到狄德麗，或是蘿絲的貼身傭人，她叫做什麼來著……」

「莉迪雅。」我說。

「對，莉迪雅。我希望我可以證明一切。」她用平常專門和兒子說話時那種壓低的輕柔語調對我說，想要輕哄我入睡，或讓我溫順服從。

突然之間，我恍然大悟。

「妳根本不相信我。」我說。

「噢，萊茵，沃恩戶長對妳做了那麼可怕的事情。妳神智不清，病得很重。也許有可能某些事……」

「全都是真的。」我邊說邊坐直身體。「全都是真的。」

她自己也坐直，在黑暗中面對我。她在皺眉。「地下室什麼都沒有，萊茵。」

「那些屍體，那些傭人，一定是他藏起來了。如果蓋布利歐在這裡，他也會說一樣的話。」我說。

西西莉聽了之後，舒展了一下身體。這令我心中燃起一絲希望，認為她想相信我。她問：「他告訴過妳屋子底下有屍體？」

「也不盡然。」我說。

「他到底說了什麼？」

我頓時沮喪至極，向後躺倒在枕頭上，洩氣不已。「沒說什麼，」我承認。他一開始抽鴉片抽得凶，然後問題接連而至，真的。「他沒機會說。」

西西莉躺在我身旁，安慰地揉著我的手臂。我們倆都默不作聲。只有我看過沃恩在地下室放的東西，我想辦法接受這個事實。但更糟的是，我想要相信林登和西西莉的想法，相信這一切都不存在。也許根本不曾發生，也許狄德麗在我離開後真的被賣到別的人家，阿戴爾和莉迪雅也是。也許他們生活得很舒適安穩，而我只是因為被綁在那張手術床上太孤單，所以幻想出狄德麗來陪伴我。她當時常常來陪伴我。

我開始在腦中列出我所知道的一切。沃恩殺了珍娜，這點他也承認。電梯故障那天，蘿絲的屍體放在地下室。我看到她了，我認出她的指甲油和一頭金髮。我的腿裡有追蹤晶片，狄德麗說的。不是嗎？我想起在地下室時，所有在我身上進行實驗的人員，記憶中，他們全都有相同的木然表情，全都不發一語，很冷漠。狄德麗很溫暖，她說話聲音輕柔，我覺得好安心，與那裡的氣氛格格不入。

層層疊疊的事實崩塌潰散，隻字片語和回憶紛亂混雜。圖像不斷改變，讓人心生沮喪。最後我抓得到的只有西西莉，至少我可以確定她存在。我捲起我借她穿的睡衣的袖子，她的皮膚滲著汗，身體暖呼呼的。我擔心她覺得太熱，像有把火在體內燒著。我想我叫醒她時，她正逐漸睡去，因為她睜開眼之前喃喃說了幾句無意義的話。我告訴她：「妳不用相信我，妳只要相信沃恩有能力做那些事。」

「我相信，但林登不信。我覺得他是選擇不要相信的。他很敏感，妳知道嗎？」

她伸手輕敲我的臉頰，動作很輕，反覆著，像幽靈的吻。

她說：「過去我以為沃恩戶長是出於好意，想要拯救我們大家，但是我錯了。而承認這點就意味著承認他不會找到解藥，我們都沒多少時間了。妳以前說妳必須找到哥哥，因此妳更該勇往直前。林登和我有鮑文和肚裡的寶寶。我想要盡可能與他們在一起，我想和他們相守到最後一刻。」

要是在去年，這些話她肯定不敢說，但現在她毫不退縮。她絲毫不帶哽咽地繼續說：「如果妳看到的所有事情都是真的，我們也無能為力。我們有自己的生活要照顧，時間太少，而想做的事太多。」

她的一番話很可怕，但字字屬實。她緊抓著我的手，我們捏著彼此的指頭。我等她恍然大悟剛剛她的話力道有多強，我等她緊緊攬住我啜泣。但從她話語中的理智聽起來，這些話她已經忍很久了。我不在的時候，她有充分的時間去適應。

幾分鐘之後，啜泣聲的確出現，但哭的人是我。

我的姊妹妻已經沉沉睡去。

我夢到林登站在房門口。他凝視著我，久久不去，眼底的綠每秒都在變化。「那幾顆星看起來的確像風箏。」他承認。「但除此之外，妳說的都是謊話。」

清晨，我被西西莉吵醒，她從床上跳下，跑到窗前，雙腳蹬在地板上，像男中音般宏亮。「小聲點。」我說，她使勁拉上窗簾，窗簾彈回發出悶悶一聲，突然透進來的一道陽光讓我蜷縮起來。

「不，不，不，妳得躲起來。」她對我說。眼裡充滿驚恐。汽車引擎聲在窗外震動。

我搖搖晃晃站起來，每一塊肌肉都在痠痛，走向窗邊。窗外停著那輛禮車，車外站著的人影招手要我們下來。林登說過，早上他會來接西西莉，但等我從昏昏沉沉的狀態中稍微恢復過來，我發現站在那裡的不是林登。

是沃恩。

第三章

「待在那裡別動。」我說，趕忙在睡衣底下套上牛仔褲。

我跑下樓梯時，西西莉在我背後叫著：「等一下！」

「留在那裡！」我回她。

清晨的戶外空氣冷冽，我雙臂抱胸以取暖。我走向沃恩時，沾了露珠的草黏在我的裸足上。他微笑。「啊，她可醒了。」他說。聲音劃破灰濛濛的天空，突然一群燕八哥急急飛過。

我保持距離，努力不帶任何情緒地問：「林登在哪裡？」

「妳丈夫一早要和有可能簽約的承包商開會，他請我來接妳和西西莉。」他說。

「最好是。」我說。一腳往後踩，後退一步。

「妳還在生我的氣，我懂。但是，萊茵，親愛的，妳真是令人著迷的生物。妳應該感到自豪，妳出現之前，我還以為我已經見過世面。我情不自禁，得意忘形了。」他說。

得意忘形。我冷笑，發出無言吶喊。

「我們打開天窗說亮話吧。要不是我，妳早就沒命了。」他說。

「是因為你，我才差點死掉。」我說。「這次要是我不順從你，我會怎樣？把這房子放火燒了？」

「雖然我的確覺得一把火燒了這裡會好多了，不過我不會這麼做。選擇權完全在妳身上。」他說，語氣聽來誠懇。「我想我們彼此可以盡釋前嫌。恢復大老婆的地位聽起來如何？」

我驚恐地開口，但是吐不出一個字。他到底是怎麼找到我的？追蹤晶片已從我的腿裡取出了。林登真的派他來這裡找我？我知道他很氣我，但他應該不會做出這麼惡毒的事。

背後的紗門砰地關上，我才恍然大悟。是西西莉。沃恩再也不能追蹤我的行蹤，但是西西莉仍是他的財產。他是怎麼辦到的？是不是哪裡藏了電腦，可以用數位地圖讓我們的行蹤一覽無遺？還是某種會嗶嗶叫的裝置，只要我們在附近就會發出警示聲，就像盤旋在硬幣上方的金屬探測器？我父母以前有一輛，爸爸就是那樣找到破銅爛鐵來打造東西的。

西西莉站到我身旁，伸手環抱著我。「她不會回去。」她說。

「妳不希望妳妹妹妻回家？但是妳一直都那麼寂寞，寂寞到每一次我不在家，妳就偷溜下去看她。」沃恩說。

她倒抽一口氣。她很害怕，卻極力隱藏。

「不要跟他回去。」我在西西莉耳邊說。

紗門又砰一聲，一股菸味蔓延過來。

里德叼了根雪茄在嘴裡，油漬和棕色汙點布滿他的白襯衫。「沒有人想到邀請我來敘敘舊嗎？」他對沃恩說。「魚與熊掌不可兼得，小弟。如果我不能踏進你的財產一步，你也不能不請自來。」

沃恩說：「我只是來要回屬於我的東西。西西莉，穿件可以見人的衣服，頭髮梳一下，我們要走了。」西西莉還穿著林登幫我打包的睡衣，釦子沒扣，衣領敞開滑到肩膀下。

「我丈夫到了我才走。」西西莉說。

「你聽到她說的了。」里德說。

沃恩張口準備發言，但被小嬰兒的哭聲打斷，欲吐之言轉成一抹詭異的笑。西西莉全身緊繃。

沃恩打開後座車門，並說：「出來吧，跟妳的主人講講道理。」

西西莉的貼身傭人愛兒步出車外。她胸前抱著鮑文，他的小臉脹得通紅，滿是淚水。西西莉馬上伸手要抱他，但沃恩擋在她面前。他說：「天氣很冷，親愛的，妳又有孕在身。妳連要添件外套都不知道，憑什麼覺得妳有能力在沒有我監督孕程的情況下過得好？今天早上的維他命妳還沒吃呢。」

「他說的沒錯。」愛兒細聲細氣地說，語氣輕柔得過分。她垂著頭，話聽起來像是演練過的。她比西西莉還嬌小，大概九歲、十歲吧，所有的貼身傭人裡，就屬她最羞怯，我敢說沃恩要威嚇她絕對不是問題。

西西莉噘著嘴，讓自己鎮定下來，我覺得她正努力不讓淚水潰堤。「你不能把我和兒子分開。」

她繞過沃恩要抱兒子，但沃恩一把抓住她的前臂，他力道之強，肌肉線條清晰可見。西西莉瞠目結舌，憤恨難抑。沃恩從來沒有那樣抓過她，過去一向能用蛇蠍的魅力讓她聽命行事。「回家不回家隨妳。但是妳要搞清楚，我不會允許我的孫子待在這個糞坑。」他說。

他看著我繼續說：「一如以往，這個邀請也適用於妳身上。沒有妳，家就不是家了。」

「誰的家？」我咕噥著。我退了一步，退到里德嗆人的雪茄菸霧中。他不發一語，站在前廊最上層的階梯。這不是他的戰爭。

西西莉看著我，眼神充滿懊悔，我告訴她我們的公公要為珍娜的死負責的那天，她也是這個眼神，當時雪花紛飛，落了我們滿身。像那天一樣，我也心碎了。「我非走不可。」她說。

「我知道。」我回應她，我明白勢必如此。她有鮑文和一名未出世的孩子要照顧，還有丈夫等著她愛；我則必須去找哥哥和蓋布利歐。西西莉和我不能照料彼此，我們得放掉對方的手。

沃恩鬆手，西西莉跑過來抱住我，她抱得用力，我差點站不穩。我圈起雙臂環繞她。

「保重，要勇敢，好嗎？」她在我耳邊呢喃。

「妳也是。」我說。

鮑文的哭聲升了好幾個音階，她放開我。沃恩護送她到車上，等她爬進車內，再叫愛兒把寶寶抱給她。

西西莉緊摟著兒子，但是藏在兒子一綹綹鬈髮後的雙眼卻盯著我。她的下眼皮紅通通的，淚痕蜿蜒而下。我們明白彼此要再見面有多麼難。如果是林登來接她，至少我們有時間可以好好道別。

沃恩爬進車裡，坐在她旁邊，關上車門。獨留我站在車外，看著深色車窗上自己的倒影，直到一切都不復見。

里德站到我身旁，我們一起看著禮車消失在地平線的另一端。他把雪茄遞給我，但我搖搖頭，讓麻木占據整個腦袋，迎接刺骨的痛楚。我等著悲傷像兩位姊妹妻一樣消失無蹤。

里德說：「不要難過，寶貝，我媽也從來沒喜歡過沃恩。不過，願她的靈魂安息，她真的試過了。」他拍拍我的肩。「最好梳洗一下，還有工作等著。」

細小的水流從蓮蓬頭流淌下來，水色混濁，摻雜著鐵鏽。但這情形我以前在曼哈頓早就習以為常，只要不直接站在水流下，等到水最清澈的瞬間再往自己潑，也就能好好洗乾淨了。我特別小心大腿內側那道長長的傷口，皮膚因為縫線而皺縮歪扭。

我仔細看過林登打包的手提箱，發現他留了一卷紗布和一瓶抗菌劑在內袋裡，就擺在牙刷旁邊，我一定不會錯過。他仍然為我著想，用他自己的消極方式照顧我，每件東西也都摺得整整齊齊。經歷過我引發的種種風暴後，器度小的丈夫會氣憤難平，會希望我傷口感染，整條腿都爛掉。

我包紮了傷口，試著把剩下的紗布捲得和之前一樣整齊，但是我無法複製林登的一絲不苟。

我想起昨晚里德說的關於機器的事，於是取了一條掛在門把上的橡皮圈把頭髮紮起來。門把上的橡皮圈，玻璃罐裡的螺栓和生鏽的鐵釘，堆在角落成了尖塔。整間屋子就像個機器，彷彿有齒輪在牆壁裡轉動。

樓下的走廊傳來炸豬油味，我走到廚房時氣味更強烈。「餓了嗎？」里德問，我搖搖頭。

「我想也是。」他說，從平底鍋裡把油倒入一個舊罐子。「妳食量跟鳥沒兩樣，連頭髮都亂得像鳥窩。」

也許我該反擊，但其實我不介意他為我塑造的形象，感覺既狂野又勇敢。

「我猜妳永遠不用吃東西，我猜喝空氣對妳而言就像在吃奶油。我猜妳可以好幾天只靠思考就能存活。」他說。

聽聞至此我不禁嘴角微微上揚。可以想見沃恩為何不喜歡這位哥哥，而林登又為什麼會喜歡這位伯父。

「嗳，」他開口，直視著我的臉，「我侄子說妳還沒完全復原。不過依我看來妳好像康復了嘛！」

林登說過他伯伯不會多問什麼，他也的確如此。不過他說話選詞用字高明，不著痕跡地就能得到答案。

「確實是好得差不多了，我只會在這裡留一兩天，這段時間我能幫忙。我會做家事，也會修理東西。」我說。

「修理東西很不錯。」他說，走過我身旁。我跟著他走過走廊，步出前門，踏入微風吹拂的五月空氣中。青草和生氣勃勃的野花隨風擺動，像是西西莉彈奏的琴鍵上出現的全像投影。用色鉛筆畫的靜物素描，很不真實。

從早晨開始，天氣漸漸回暖，瀰漫著青草近乎塑膠的氣味。我想起蓋布利歐，去年此時他端著茶到書房給我，隔著我的肩一起閱讀。他伸手指著歷史書頁上船隻的素描，我心想要是我們能乘船遠航該有多好，陽光下小船乘風破浪，駛過之處海水分道，無止境向前延伸。

我把擔憂拋在腦後。不久之後我就能找到他，那是我心之所冀。

里德帶我到主屋外的小屋，以前可能是座穀倉，空間相當大。「即使是沒有壞的東西也可以修。」他說。小屋陰暗，散發出霉味和金屬味。「每樣東西都能改造。」

他看著我，揚著眉，意思是輪到我說話了。但我仍保持沉默，他看起來有點失望。他傾身向前，手指在頭頂上方打顫。

屋裡暗得什麼都看不見。唯一的光線是從牆上的木板縫隙透進來的。然後里德推了盡頭的牆，壁面開啟。那扇門很大，一時之間室內灑滿了陽光。我身旁的奇形怪狀瞬間變得清晰，有皮帶、用釘子固定住的槍枝、像屠宰場的肉塊一樣吊起來的汽車零件。地板積滿灰塵，長長的的工作桌上堆滿了稀奇古怪的東西，看不出是做什麼用的。

「我敢打賭，這些妳見都沒見過吧。」里德說，聽起來很以此為傲。我覺得他以被當作瘋子而自豪，但我卻不覺得他瘋，反而比較像好奇。他的弟弟支解人體，徒手秤器官重量，撥開眼皮抽血，里德則是拆解物品。昨晚他對桌上引擎表現出的關心和尊重，比沃恩對我還多。

「我父親喜歡做東西，還有修理東西。不過多半是木工。」我說。

我不知道什麼原因讓我說了這麼多，我在官邸快一年的時間裡，透露有關自己的事情都沒有今早來得多。

也許是出於想家，而向陌生人傾訴是我面對此事的方法。

里德看著我，我注意到他眼底的綠，這點和他弟弟很像，眼神疏離迷濛，活在自己思緒創造的世界裡。他盯著我好長一段時間，然後說：「說『荒謬』。」

「啊？」

他語氣堅持地說：「『荒謬』這個詞，妳說一遍。」

「荒謬。」我說。

「簡直就是她的鬼魂。」他說，搖著頭跌坐在工作桌旁的椅子上。那其實是張老舊的野餐桌，連接著長板凳。「妳像極了我侄子的第一任老婆，連聲音都一模一樣，『荒謬』是她最愛用的詞。一切都荒謬到家，病毒、企圖找出解藥、我弟，全都是。」

「你弟弟的確很荒謬。」我表示同意。

「我要叫妳蘿絲。」他語帶堅定地說，拿起一把螺絲起子，開始轉開老舊時鐘的背板。

「拜託不要。我認識蘿絲，她死時我也在場。這樣很恐怖。」我說。

「人生本來就很恐怖，孩子二十歲時就從內到外腐爛，那就是恐怖。」里德說。

「即使如此，我名字還是叫萊茵。」我說。

他點頭示意，要我隔著桌子坐在他對面，我避開板凳上一坨灰色的泥漬，坐了下來。

「不過『萊茵』是個什麼名字？」他問。

「那是一條河。」我說。我拿起一枚螺栓當陀螺轉。爸爸以前會幫我和哥哥做陀螺，我們會把陀螺放在最上層階梯上轉，然後三人擠在一起看著陀螺一階一階往下跳。爸爸的總是最快抵達，我的每每都從欄杆旁滑出去不見了。「或原本是條河，很久以前，從荷蘭流到瑞士。」

「那我確定河一定還在奔流。」里德說，看著螺栓從我手中轉出，很快就倒了。「世界依然存在，只是他們希望妳認為一切都已灰飛湮滅。」

好吧，也許他真的有一點瘋，但我不在乎。林登是對的，里德不會問東問西。之後整個早上他都沒讓我閒著，一直做粗活，也不解釋我做的是什麼。我最多也只能猜，大概是在拆解舊時鐘好組個新的。他偶爾來關切一下我的進度，但大部分時間都待在外面，躺在一輛舊車底下，或是爬進車內發動引擎，但車子只是哼哼噴著氣，從排氣管吐出黑漆漆的廢氣。他躲到後面一間更大的棚屋，比房子還高，看起來更簡陋，好像是拼拼湊湊搭建起來掩藏裡面東西的。

但我也完全不過問這件事。

第四章

之後一整天、隔天、再隔天都是如此。我不發問，里德也一樣。他交辦任務，而我照做，按部就班，完全不知道自己在組裝的是什麼。我也觀察他，他花很多時間鑽到車底，或待在那間破爛棚屋內，門扉緊閉。

我一直沒什麼胃口，廚房裡最安全可食的就是蘋果，而且我也只認得出蘋果來。這裡的蘋果不是我在官邸習慣吃的，表皮亮晃晃的綠、紅蘋果，而是布滿色斑、凹凸不平、表皮粗糙的蘋果，和我童年記憶中的蘋果如出一轍。但我仍不確定哪一種比較天然。

第四天早上，我爬出床鋪時，發覺暈眩感和眼冒金星的狀況消失了。大腿的疼痛減緩，傷口縫線也開始被身體吸收。我們在工作桌前面對而坐時，我告訴里德：「我想明天走，我覺得好多了。」

他正拿著放大鏡看著一堆機器，可能是馬達吧，我想。「我侄子有幫妳安排交通工具嗎？」他問。

「沒有。」我答，手指繞著滿是螺釘和污垢的梅森玻璃瓶瓶口。「這不在我們的協議裡面。」

「所以你們有過協議，感覺不像，比較像妳要走了所以編出來的說詞。」里德說。我的人生故事。也沒什麼好反駁的，所以我只是聳聳肩。「我可以的，他知道不需要擔心我。」我說。

里德打量著我，眉毛揚起，前額滿布抬頭紋，半晌才回到眼前的工作上。「妳之所以會在這裡，就代表他很擔心妳，不希望妳落入他父親手中，這點倒是無庸置疑。」他說。

「沃恩和我始終合不來，」我說。

里德說：「讓我猜猜，為了科學，他想把妳的眼球摘下來。」他說「科學」兩字時語氣帶著誇張的熱情，把我逗笑了。

「差不多。」我說。

他停下手邊工作，身體往前傾，眼神是那麼熱切，我也禁不住地回望他。「那不是車禍造成的，對吧？」他說。

「你在那間棚屋裡藏了什麼？」我反問，既然要問就來問吧。

「飛機，我敢說妳以為飛機已經絕跡了。」他說。

飛機不太多倒是真的，多數人無法負擔搭乘飛機旅行的費用，大部分的貨物都靠卡車運送。但是總統和上流富裕家庭擁有飛機，可供事業或休閒需求。舉例來說，沃恩如果想要的話也負擔得起。但我猜里德所謂的飛機是東拼西湊來的，不是我想搭的那一種。

我垂眼盯著桌面。他回答了我的問題，現在他在等我的答案。

「沃恩利用我找解藥，大概是因為我眼睛的顏色不同吧。我不清楚，很難理解他的想法。」我說。當時我體內有太多藥同時產生作用，曾經覺得天花板都像是在對我歌唱。當時覺得一切都如此鮮明逼真，但如今回首，回憶就像是長廊盡頭的陰影，我其實不太記得了。

「聽起來不像是我侄子允許發生的事，別誤會我，不過，那可憐的小子就像是誤闖獅子保護區的小白兔般未經世事。」里德說。

動物保護區已成歷史，但這個比喻實在很貼切。

「他不知情。但我告訴他時，他不相信事情有這麼糟。他現在仍這麼覺得，所以我們覺得最好……」我停了一下，思索合適的用詞。「分道揚鑣。他和西西莉要迎接新生兒到來，我則需要找到哥哥。」還有蓋布利歐，但這還得花上更多解釋的時間，光想到目前已經說了的話，我已經開始覺得筋疲力竭，隱隱作痛。

里德問：「既然如此，寶貝，那妳為什麼還戴著他的戒指？」這個問題，讓原本的隱隱作痛成了貫穿太陽穴的強烈痛楚。

我的婚戒。上頭蝕刻虛構的花卉，蜿蜒蔓生，無邊無際。我不只一次想要拿個什麼尖銳的東西來切割，畫出一條線切斷藤蔓，至少有個盡頭。

「我可以看你的飛機嗎？飛得起來嗎？」我問。

他大笑。他的笑和沃恩不同，給人溫暖的感覺。「妳想看飛機？」

「當然，誰不想？」我說。

「其實也沒理由不給妳看，只是從來沒有人開口要求過。」他說。

「你在棚屋裡停了一架飛機，卻從來沒有人開口說要瞧瞧？」我說。

「大多數人不知道裡面有飛機，但是我喜歡妳，『不是蘿絲』小姐。所以要看的話，或許明天吧。現在我們還有其他事情要做。」

當天晚上我躺在里德的院子裡。院子占地遼闊，一眼望不盡，空蕩蕩的，只有長長的草與點綴其中的野花。我躺在土地上，心想，香橙園應該就在那裡，再過去是高爾夫球場，風車轉動，燈塔閃爍。再過去一點是馬廄，現在已經廢棄，蘿絲和林登以前在那裡養馬。而此處，我仰躺之處，就是游泳池，我可以倚靠充氣浮墊，而虛幻的孔雀魚在微光中搖擺著身體，環繞著我悠遊。

我以為我可以把那個地方拋在腦後，但它卻繼續在我心中重建。

突然身旁傳來沙沙聲，我轉頭看到雜草晃動。我有不祥預感，這是個警訊。

我坐直身子，屏氣凝神，細細傾聽。但是一陣風呼嘯而過，好像在呼喊我的名字。不對，那不是風的聲音，雖然聽起來那麼真實。

「萊茵？」

我雙手向後擺，撐住身體，偏著頭想看清楚站在我背後的身影。

「嗨。」我說。

正值滿月，月光在他的頭後面形成耀眼的一道光圈，他的鬈髮猶如深色的冠冕，他有王子的氣質。

「嗨，我可以坐下嗎？」林登說。

我往後倒，冰涼的土地抵著腦袋很舒服。我點點頭。

他坐在我旁邊，小心不要壓到我那如血濺般撒曳的頭髮——就像一顆子彈貫穿眉心，砰，鮮血四濺。

「沒想到你會回來。」我說，看著星空中的那隻風箏。我尋找其他的風箏，或是放風箏的人。

大約一分鐘之後，林登在我身旁躺下。我滿腦子只想著他的白襯衫會沾上青草的汁液，頭髮會不會弄髒。我覺得他試圖要證明他也可以像我一樣，不要那麼潔白無瑕。

「前幾天，我並沒有請我父親過來，我完全不知道他會那麼做。」他說。

他沒說出口的是，他父親大概用植入西西莉的不曉得什麼東西來鎖定我的行蹤。林登曾親眼見過植入我身體的追蹤器。

「不知道是誰還說很瞭解自己的父親。」我咕噥著。不用往後看，我就可以感覺他在瞪我。

「他想要免去我的痛苦，他知道見妳對我來說有多麼難熬。」林登說。

「所以你倖免了。那你為什麼還回來？」我說。

「伯伯今天下午打電話給我。」他說。

「我還不知道你有電話哩。」我說。不過感覺是個侮辱，提醒我雖然在我們的婚姻中，林登待我平起平坐，卻都只是幻象。我始終是名囚犯。

「他說妳要走了，他說妳打算就這樣離開，把一切都交給命運。」林登說。

「差不多。」我答。

「那不算有計畫，錢從哪裡來？交通工具？食物？在哪兒過夜？」

我搖搖頭。「那都不重要。」

「當然重要。」他說。

「所以里德才一直拖延，是吧？他想在我離開前先找你商量。」我忍住沮喪的吶喊。

「拜託讓事情單純化，這是我的問題，不是你的。」

他沉默了。那沉默讓氣氛不太對勁，玷污了月光，讓我喉頭緊縮，蟋蟀叫聲聽來特別響亮。天空的星體都湊過來傾聽。最後我再也無法忍受。「說出來吧。」我告訴他。

「說什麼？」

「所有你想對我說的話。有些醜話你一定憋很久了，我看得出來。」

「不是醜話，甚至也不是氣話，真的。應該說是個疑問。」他輕聲說。

我用單肘撐著身體，定定地望著他，他也回看著我。他的眼裡沒有敵意，但也沒有仁慈。什麼都沒有，只是一汪綠意。「那天晚上，新年派對的晚上，妳說妳愛我。妳是真心的嗎？」

我凝視著他，久久不動，直到他的臉消失，而他只是個影子。

「我不知道。即使是真的，也不足以讓我留下。」我據實以告。

他微微點頭，然後起身，撢撢兩腿後方，然後伸出手給我。我讓他拉我起來。

「不要明天就動身，拜託，給我一個機會把某件事搞清楚。如果我就這樣讓妳離開，西西莉會氣炸的。」他說。

「她會沒事的，你不欠我什麼。」我說。

「那就當作是幫我一個忙吧，我希望西西莉不要對我發怒。」他說。

我猶豫了。「等多久？」

「兩三天，或更短。」

「好吧，兩三天，或更短。」我說。

他的嘴唇抽動，我以為他要微笑，但卻不是。上次我見到他，他還滿腔話要說，怒氣沖沖，感情強烈。我可以感覺他心中的吶喊。但現在一切都不見了，不曉得他把這些情感收哪裡去了，是不是對著香橙園吶喊發洩，跟著他死去的妻女應該存在的骨灰而去了。他開口只說：「妳如果要出來外面，應該加件毛衣。我有放一件在妳的行李中。」

然後他轉身離開，禮車在遠處等待。

「不全是謊言，林登。」他距離我好幾公尺時我迸出這幾個字。我的聲音微弱，愈來愈小聲。「不是全部，不全是。」

他鑽進禮車後座，沒有絲毫舉動顯示他相信我。

第五章

我和里德在廚房桌前相對而坐，他看著我把玩手中的蘋果。也許他說我永遠不用吃東西是對的，我不記得上回有胃口是什麼時候，即使是妻妾樓供應的珍饈，現在也無法吸引我。

我垂著眼，不想讓里德看到我的挫敗，不想讓他見到沃恩把我擊垮，我所有的不幸幾乎都從沃恩而起。和哥哥失散，失去珍娜，看著西西莉噙著淚水離去，獨留蓋布利歐擔心懼怕，林登對我冷漠相向。我一直蹣跚前行是因為不得不如此，但林登昨晚一席話確實有道理：我根本沒有計畫。

「那蘋果妳是準備要吃，還是要交出去做指紋採樣分析？」里德說。

我乾脆把蘋果放下，雙手伸進桌子底下。

他歪頭盯著我瞧，嘴裡吃著某種油炸的食物，味道難聞，有些還滴在他的格子襯衫上。

「那好吧，今天也不吃東西。妳要靠什麼過活？」他說。

「氧氣。」我輕聲說。

「那也得加點調味料。」他說。這是他找話題的方法，我覺得他在可憐我。

「那就來個問題吧。」我說。

他自信地將湯匙插入碗中。「好啊，問吧。」

我看看旁邊，忖度著該怎麼問。我開始說話。「你和沃恩一點都不像，我想我的問題是：他總是這副模樣嗎？你曾說你們的母親其實不太喜歡他。」

里德啞著嗓子笑出聲。「他一向都很安靜，不是那種有禮貌或是嚴肅的安靜，比較像是一直潛心計畫著什麼的感覺。」

「他現在也是這樣。」我說。我努力想像沃恩兒時，甚至青少年時的模樣，但是徒勞無功。浮現在我腦海中的只有年輕版的林登，只是眼珠子是深邃的黑。

「但直到他兒子死了，他才比較有目標。」里德說。「他重新設定電梯就是在那時候，只有他可以到地下室去。我從來不知道底下在進行什麼事。」

「他以前會讓你進去看嗎？」我問，想起幾天前里德說過，沃恩不准他踏上他的財產。

里德回答：「我以前也住在那裡，我們父母過世時，把房子留給我們。我們的父親是建築師，這棟房子原本是老舊的寄宿學校，他一手改建的，所以才會那麼大。妳一定會想，房子空間那麼大，要容納我們必定綽綽有餘，但是我們就是什麼都不對盤，怎麼樣都覺得對方礙眼。所以現在這樣大家都滿意。」

「林登的爺爺是建築師。」我小聲說，自言自語的成分比較多。知道林登遺傳了這個優良基因，我滿高興的。這個天賦跳過他父親而在林登身上埋下種子，好像原本就知道林登更能夠發揮一樣。

「林登很多方面都滿像他的。」里德也有同樣看法。「我指出這點時沃恩還很不高興，他喜歡自命為那孩子唯一的親人，甚至閉口不談林登的母親，或是林登出生前死掉的哥哥，這點也常讓我們產生衝突。我弟和我的關係早就如履薄冰，但我想最後一根稻草是當林登生病的時候。」

此時我抬頭。林登曾告訴我他幼時一度病得很嚴重，他依稀聽到父親聲聲喚著他，要他恢復意識，但是他太害怕了不敢回應。當時他已準備撒手離去，但不知怎地最後卻存活下來。

里德視線穿過我的肩，盯著我背後的某個東西，他的瞳孔瞇成一條線。「可憐的孩子，我真以為他會這樣就走了。」他眼神飄忽，淡淡地說。

「到底是為什麼？」我問，這令他猛然回過神來看著我。「他為什麼會病得那麼嚴重？」

「妳要聽哪一種？沃恩的說詞還是我的看法？」他說。

我蹙眉。「你認為是沃恩的錯？」

「他倒也不是故意的，我不覺得他有意要傷害林登，但我想他在做某種實驗，後來失控了。我戳破他的謊，於是他叫我走。」里德說。

「所以你才離開？」我問。

「是的，反正我自己住還比較自在。我想帶林登一起離開，但那麼做沃恩會砍了我的頭。不管我帶那孩子到哪裡去，沃恩尋遍天涯海角都會找到他的。」

「那種心情我懂。」我呢喃。

「看看妳。」里德邊說邊用雙手拍了一下桌子，震得碗喀喀作響，嚇了我一跳。「妳才問了一個問題，就聽到整個來龍去脈。覺得夠飽了嗎？」

我啃了一口蘋果當作回應。

「快吃完早餐，把頭髮紮起來。今天妳有新任務。」

「新任務？」我問道，再咬一口蘋果。

「清掃任務。」他說。他把碗擱在水槽裡，對我眨眨眼。「我覺得妳有本事讓東西光亮如新。」

我吃完蘋果，把果核往里德在廚房窗外設的推肥區扔，結果激起一大票蒼蠅。里德領著我走過平常起居的小屋，繼續往前走到較大的棚屋。

「我待會兒要給妳看的東西是最高機密。」他說。我聽不出來他是不是在開玩笑。「我不要有人進來把它劈成碎片。」

他撥弄著鎖，不用鑰匙就把它打開，然後推開門，退到一旁，伸直手臂做出一個花俏的手勢，表示要請我先進去。

室內相當暗，直到他扳開一個開關，在天花板和牆壁上排成一列的小燈泡照亮了整個空間。

「妳覺得如何，寶貝？」里德說。

「這……是架飛機，就在棚屋裡。」我無法隱藏內心的驚訝。他告訴過我有飛機，而此刻就出現在我眼前，我的訝異絲毫不減。飛機鏽跡斑斑，東拼西湊，但是有機體和機翼，幾乎占滿了整個棚屋的空間。「你怎麼把飛機弄進來的？」我問。

「倒也不是我把飛機弄進來的，絕大部分原本就在這裡。據我猜測，飛機大概是四、五十年前墜毀棄置於此的，所以我決定要修修看，能不能讓她再飛。當然，天氣狀況確實讓行動變難，所以我就搭了棚屋來遮風擋雨。」我說。

整件事聽起來太荒謬了，反倒不像是他編出來的。我說：「你要怎麼把飛機開出去？要發動引擎還得先不被廢氣毒死咧。」

「還沒考慮到那部分，但是不管如何，她還沒準備好要飛。」他說。

我望著飛機，不知為何，我的雙肩開始抖動，我忍不住大笑，這是我這幾天來第一次暢快的笑，或者是幾週以來，也許是幾個月以來。里德不是天才就是完全瘋了，或兩者皆是。但如果他瘋了，我也一樣，因為我愛上了這架飛機。我從來沒這麼近看過飛機，以往聽聞的故事，也不足以讓我準備好接受這個龐然大物所隱含的力量。我想爬到機艙裡坐著，想要讓它載我遨翔，俯瞰愈來愈遙遠的草地變得愈來愈青綠。

里德臉上露出笑容，他拉著弧形門的把手，那門看起來像是從車子拆下來再融化塑形的。一陣恐怖的鏽蝕噪音後，門從上面打開了，像是一根彎曲的手指翹起來指著我。

門後是個狹小的駕駛艙，裡面有螢幕、按鈕，還有像是兩個半圓的方向盤。「補給室在客艙裡。」里德說，指著一面當作門的布幔。

客艙是土黃與紅色混雜，像一張嘴，看起來簡直像人。我在官邸臥病時，林登讀過一個故事給我聽，內容關於一位名叫弗蘭肯斯坦的科學家，用死屍的各部位創造了一個科學怪人。弗蘭肯斯坦給了這個怪物心跳，並讓它能呼吸，我猜看起來就像眼前這個七拼八湊的古怪機體。

機艙內部比外表看起來大很多，天花板夠高，比我還高的里德幾乎都能夠站直，也有走動的空間。座椅是紅色的，固定在牆上，共有四張，兩兩相對。和牆壁相同，土黃色的地毯沾有汙漬。

里德所謂的補給室其實是個壁櫥，櫥櫃門一開，客艙的空間就去了一半。「得好好整理一番。」里德說，站在分開駕駛艙和客艙的布幔前。他看著我打開其中一個收納櫃，數個鞋盒往我身上倒，裡頭的東西掉在我的鞋子上。「我想這就是妳的任務了。」

這是不斷重複的簡單差事，把醫療器材和脫水零食分門別類，在盒子上貼標籤。里德在飛機外工作，我聽到他敲敲打打，把零件固定、磨平，讓一切就定位。他說完工後要為飛機上漆，屆時一定會很漂亮。我覺得現在已經很漂亮了。

我打開另一個盒子，裡頭裝滿了手帕。我一眼就認出來，這些手帕和官邸的一模一樣：

全白，繡著一朵花瓣細長的紅花。蓋布利歐給過我一條這種花色的手帕，我在官邸的時候都帶著。同樣的花也出現在鐵門上。

「喔，那些啊。」我向里德問起這些手帕時他說。他連頭都沒有抬，依然盯著手邊工作，坐在一側機翼上把一片銅板使勁往下壓，用螺絲起子標出螺絲釘的位置。「我覺得拿來當繃帶滿適合的。就跟急救箱的東西放一起吧。」

「這些手帕是打哪兒來的？」我問。

「是以前寄宿學校的東西，我父母買下那棟建築物時，很多東西留在那裡，例如手帕、毛毯那一類的。」他說。

「但這是什麼花？」我問。

「蓮花，老實說不完全像，但唯一說得通的就是蓮花了。那間學校叫做蓮查理女子學院。」

「蓮查理？呃，他姓蓮？」

「沒錯。現在回去幹活，把東西整理得一塵不染。我才不會讓妳在這裡白吃白住，吃蘋果喝氧氣的，知道吧。」

接下來一整天的活兒令人鬱悶。我把那些手帕整理好，藏到所有醫療備品的底下，不想再看到。我不該盼望手帕象徵什麼重要的東西，不該相信出自官邸的東西是什麼好東西。

我洗了澡，早早上床，天都還沒暗，粉紅的天空像是還未煮熟的肉。我把自己埋在毯子裡，毯子不夠厚，多數的夜裡我都冷得發抖，但此時這張毯子卻像是全世界最沉重的東西，安慰著我。我不想就這麼睡去，我想被碾碎，直到灰飛湮滅，消失無蹤。

早晨醒來我聽到聲音，有東西在煎鍋上劈哩啪啦滋滋作響。我聽到上樓梯的腳步聲，隨後傳來「等一下！」的叫喊，但腳步聲並未停歇。我的房門被推開，西西莉現身。陽光灑滿了她全身，她看起來像是張曝光過度的照片。她送上大大的微笑，兩道亮晃晃的線條。「驚喜吧。」她說。

我坐起身來，努力讓大腦恢復意識。「妳在這裡做……妳怎麼來的？」

她跳上我的床沿，推了推我。「我們搭計程車。我以前從沒坐過，車子聞起來像冷凍垃圾，而且貴得要死。」她語帶興奮。

我揉揉眼睛，想要弄懂她在說什麼。「妳搭計程車？」

「沃恩戶長用了禮車，他這個週末去參加某個會議。所以我們就來看妳了。」她說。

「我們？」

「我和林登。」她對我皺眉。「妳看起來不太好，妳住這裡沒有感染膿毒症吧？這裡超髒的。」她說。

「我喜歡這裡。」我說。往後倒到枕頭上，假裝沒注意到枕頭散發出濃烈的霉味。不知道之前睡在這裡的是誰，大概是上個世紀的人吧。

「這裡比以前的孤兒院還糟。」西西莉說著，拍拍我的腿站了起來，往門口走去。「好啦，快起床，下樓來，我們幫妳買了些東西。」

她離開後，我好整以暇地著裝，我才不急著去迎上林登注視我時的空洞眼神。

從我踏進廚房時大家看我的眼光來判斷，我大概忘了梳頭髮吧，西西莉還好心提醒我襯衫穿反了。

「她都沒吃什麼，我甚至在她面前揮舞叉子，什麼都試過了。」里德語帶歉意。

我一屁股坐在林登對面的椅子上，他正抱著鮑文，鮑文伸出手想搆架子上的東西，他想要映著晨光的玻璃罐，我想他一定以為罐子裡裝著一小塊一小塊的太陽。

「她當然沒吃什麼。」西西莉說。她站在我背後，溫柔地幫我梳開糾結的髮絲。「她不想被毒死。」

里德點燃雪茄，然後給林登的肩膀一拳。「兩個妻子都在身邊你有多幸福美滿，就不用我說了吧。」

西西莉放下我的頭髮，伸手橫跨桌面，把雪茄從里德的齒間奪出，將點火的那一端在桌上按熄。

「搞什麼！」里德厲聲說。整間屋子都在震動，鮑文的手縮了回來。

「我是孕婦，你這個白癡。」西西莉說。「你對懷孕一點常識都沒有嗎？還是你也瞎了，沒看見有個五個月大的小嬰兒坐在你旁邊嗎？」

里德瞪著她，呆掉了，然後他瞇著眼睛站起來傾身橫過桌面，直到鼻尖距離西西莉只有一吋之遙。我真的覺得他就快出手勒住西西莉了，林登都已全身緊繃，準備要阻止了，但里德只咆哮著說：「我不喜歡妳，小鬼。」

她把手壓在胸口上說：「真傷我的心啊！」然後轉過身，逕自離去。

里德救起被摁掉的雪茄，試圖重新點燃，屢點不著，讓他嘀咕個不停。「實在不曉得你看上她哪一點。」他對林登說。

「對不起。」我站在一旁說，把菸灰都掃進手裡，倒進水槽中。「你慢慢就會欣賞她。」

里德冷笑一聲說：「慢慢才會欣賞。」然後拍了拍林登的肩。「明白吧，這一位，才是我欣賞的。你不該讓她走的。」

林登的臉頰瞬間緋紅。

西西莉回來時肩膀上掛著個背包，包包前方其中一個口袋上也繡有蓮花圖案。她抓著我的肩膀，領著我在椅子坐定，在我面前擺上一個錫箔盒，打開蓋子。香甜的熱氣撲鼻而來，是主廚的烤藍莓奶酥，上面綴著大顆粒的奶酥糖。西西莉把塑膠叉塞進我手裡說：「快吃。」

林登說：「讓她自己來，她可以照顧自己。」

「她顯然沒辦法，你看看她。」西西莉說。

「我很好。」我說，為了證明所言不虛，我吃了一大口。有部分微小、遙遠的我，意識到這一口很美味，充滿脂肪和我需要的營養，但是更當下、占主導地位的我，卻難以將這口吞下肚。

西西莉又開始梳理我打結的亂髮。

氣氛因沉默而緊張，里德打破沉默說：「嗯哼，實在很不想離開聚會，但我還有工作要忙。」他動作誇張地塞了一根新鮮雪茄到嘴裡，往門口走去。「需要什麼請自己來，不要客氣。」他瞥了一眼烤奶酥，然後揚起眉毛看著我，「雖然看來你們已經自己帶補品來了。」

他走過走廊時，地板發出咯吱咯吱的響聲。等他一踏出門，林登就說：「西西莉，妳那樣非常沒禮貌。」

西西莉相應不理，哼著歌把我的頭髮整齊地披放在肩膀上，好像在放一件昂貴的禮服。我很高興能和姊妹妻共聚一堂，雖然有時候她滿煩人的，但她能撫慰我的心。我想靠在她身上，放下我一直以來的重擔，但有部分的我又氣她跑回來。我已經和她道別，接受我們別無選擇只能分道揚鑣的事實，我不想必須再次別離。

我可感覺到林登皺眉看著我，我不敢直視他。

「妳都沒吃。」西西莉緊迫盯人。

「讓她自己來，別煩她。」林登說。

情緒上的緊繃已經到了極限，我覺得自己快爆發了，但不知為何聲音卻很輕柔：「是啊，別煩我，你們兩個可不可以都不要煩我？」

我抬頭看一下林登，再看西西莉一眼。「你們為什麼又回來？」

西西莉伸手要摸我的前額，但我傾身避開了，我站起來退到水槽旁，他們的注視令人窒息。

西西莉看著林登，然後說：「你看吧。」

「看什麼？」我說，這次我的音量比較大了。

林登彷彿把某個硬物吞下喉，讓自己鎮定下來，好準備他圓滑得體的口氣。他說：「西西莉，妳帶鮑文到戶外走走好嗎？今天天氣溫暖，帶他看看野花。」

西西莉爽快地同意了，讓我有幾分不知所措。臨走前她給我個不悅的臉色，然後哼著水仙花的歌給鮑文聽。

「我很抱歉，我提醒過她要留點空間給妳喘息。她只是太擔心妳的身體狀況了。」她走出去後林登對我說。

這點我知道。西西莉很擔心，這是她的方式。她是林登妻子中年紀最小的，卻總是喜歡扮演母雞的角色。但林登是婚姻生活中講究實際的外交官，他應該提醒西西莉我會永遠離開。當然，西西莉會與他起爭執，會甩幾次門，和他冷戰一陣子。但這又能持續多久？在妻妾樓足不出戶幾天後，孤單寂寞會讓西西莉很快原諒林登。

「你不該帶她來這裡，你也不該來這裡。我們都明白沒有什麼好弄清楚的，你只是在延長我們的道別。」我說。我沒繼續說他把我留在這裡的每一天，都會讓我哥哥認為我已經死了，因此可以進行毀滅行動。然而，我仍沒有勇氣背著他在夜裡逃跑，我不會再那麼做了，尤其在他這麼幫我之後。

他注視著我頭上的牆壁，我讀不出他的表情，他開口欲言，但只發出零碎的音。我盯著油地氈上的一道裂縫，形狀好像葉子的尖端。

「我無法相信妳所說的關於我父親的事。妳能理解，對不對？我不能和他對立。」他說。

他把我從他父親的魔爪中救出、幫我止血時，似乎是站在我這邊的。他睡在我病床邊的椅子上，告訴我不會讓他父親跨進病房一步時，似乎是站在我這邊的。

但最令人沮喪的是，我的確能理解。沃恩用深鎖的大門和全像投影控制我和姊妹妻，他也用深於血緣和骨肉的東西控制自己的兒子。沃恩是林登唯一的家人，林登除了愛自己的父親，還能有什麼選擇？除了相信這個撫養他長大的男子心存善念外，又能怎麼辦？

我沒有資格評論。不管我哥哥摧毀了多少棟建築物，不管他奪走多少條性命，都無法抹滅我對他的愛。

我點點頭。

在很遠很遠的某處，在只有綠和深綠的世界裡，鮑文笑到尖叫。

林登說：「我幫妳帶了些東西，本來要幫妳帶更多衣服，但我又想，對要踏上旅程的妳來說，那只會拖累妳。所以我打包了一個急救箱，放了點車錢，妳小心，不要讓別人看到妳身上有錢。」他笑了，但聽起來像在咳嗽。「不過這點妳大概知道，是吧？」

「你不用這麼做。」我說。然後，轉念一想，我又說：「但還是謝謝你。」

他站起身，把椅子擺好，然後一併連西西莉和我的椅子都擺好。「妳和西西莉可以一起睡床上，我去睡伯伯圖書室裡的長沙發。我會把鮑文的搖籃放到臥室裡，但妳不用擔心，他通常可以睡過夜。」

「這個週末你真的要待在這裡？」我問。

「這是為西西莉好，她最近悶得快發瘋了。」他說。他在門口徘徊了一會兒，背對我。

「妳們也有機會好好說再見，有助於她對妳放手。」

第六章

西西莉站在臥室鏡子前，微微蹙眉。襯衫捲到胸口，她輕撫爬滿肚子的粉紅細紋。「很可怕，對不對？鮑文之前把我的肚子撐到極限了。」

我坐在床上，眼睛看著我從里德的圖書室拿的書，他的藏書量不如他的弟弟，而且書全都又舊又破，我覺得他分到要淘汰的廢棄書。有些歷史書的書頁都被撕掉了，還有某些段落被塗黑。有本書是關於美洲大發現，封面上一艘大船的圖吸引了我，但是有幾頁上面寫滿了憤怒的筆記，指控書中文字都是謊言，模糊潦草的字跡難以辨識。反正我也不想讀，我只想看看船的圖片，回想蓋布利歐手指在我髮裡的感覺。

我翻到下一頁，盯著另一張貨船的照片看。蓋布利歐一定有看法想表達，我很確定，他一定知道貨船在水中移動的速度有多快。不過，這艘船看起來好像載重超過負荷，我打賭如果我偷偷搭上船，一定可輕易地在高大的貨櫃當中找到藏身處，但得要花數個月才能抵達蓋布利歐所在之處，要那麼緩慢地在水上航行，過程必定相當折磨人。

但慢歸慢，總比裹足不前好。

西西莉仍滔滔不絕，抱怨青春不再，身材從此走樣，但她又是多麼歡喜可以經歷這一切。這簡直是奇蹟，洋溢著希望。我不想看她光溜溜的肚皮，那形狀愈來愈像倒置的問號。她生第一胎時難產，數度失去意識，有力氣時大哭，失血過多時臉色發白。我不願想到她又要重新走一遭，整件事讓我很害怕。

但躲也躲不掉。西西莉帶著兒子一起來，這房間自然充滿育嬰房的氣味。爽身粉和嬰兒皮膚上某種難以界定的甜味充斥在房間裡，也占據了她的人生。此處的孩子已經不再是她。

「妳不累嗎？」她問著，同時往我身旁的床鋪倒下，踢掉襪子，鑽進毯子裡。「妳不想換睡衣嗎？」

「還不想，我想再看一下書，如果燈光干擾到妳，我可以去別的地方看。」我說。

「不用。留在這裡。」她打著呵欠，把頭枕在我的膝蓋上，然後閉起眼睛。

不出幾分鐘，她就鼾聲大作，那種孕期的打呼聲著實讓我擔心。我們都是送給林登的生育機器，沃恩在那排女孩當中，一眼相中最單純幼稚的一個：西西莉。我絕對相信她是因此被選上，沃恩看出她眼中的決心，看透她的弱點。在一輩子無依無靠之後，她願意付出一切，只求能夠讓自己屬於沃恩的兒子。

她是怎麼了？為什麼年紀這麼輕，就在不到一年的時間裡相繼孕育兩個小生命？她的雙頰布滿紅疹，鋼琴師般的纖細手指如今又腫又脹。在睡夢中，她依偎在我衣服上，模樣一如鮑文依偎在她身上，純然是個小孩依偎在母親的懷抱裡。

我繼續翻著書頁，手指在她的髮絲間耙梳。

我再一次看完所有船的圖片，沒多管文字寫什麼，此時傳來輕輕的叩門聲。我知道是林登，因為里德晚上從不上樓。其實，我根本不知道里德睡哪裡，甚至連他有沒有睡都不知道。

「請進。」我說。

林登從狹小的門縫裡側身進入房間，幾乎不聲不響，他看著西西莉和我，我覺得自己像未完成的「艾許比妻眷」肖像畫中的模特兒，我們這群妻子的人數一度有四個。

「她睡著了嗎？」林登問。

「我還醒著，我剛夢到我們在溜冰。」西西莉喃喃地說。她坐起來，揉著眼睛。

「我來看妳身體覺得如何。」林登對她說。眼神越過我，注視著西西莉。我什麼都不是，只是牆壁上的燭光。「妳需不需要喝的？腳會痠嗎？」

她說需要按摩背部什麼的，我拿著我的書，悄悄溜出房間，和林登溜進來一樣容易。

我早已記住走廊的哪塊地板走起來不會發出咯吱聲，好讓里德能夠不受打擾，逕自在樓下埋首於神祕的工作。

圖書室的窗戶是開的，書本、牆壁、地板都因為夜風吹拂而冷冰冰的。蟋蟀的叫聲傳來，感覺牠們就躲在書架間。繁星閃爍，明亮清晰，光線射入室內，為四處灑上銀光。

我把船的書放回原處，手指拂過其他書籍的書背，其實沒有特定目標，反正我也累到讀不下去了。沙發床上有枕頭和毛毯，舒服誘人，但要躺進林登為自己鋪好的床，我有點不自在。我繼續看著書背。

「伯伯以前都讓我假裝這些是磚頭。」林登開口嚇了我一跳。他小心翼翼從架上取出一本厚重的精裝書，用手掂掂重量，又把書放回去。「我喜歡用這些書搭房子，成果每次都和我設想的不盡相同，但那樣很棒，教導我凡事都有三個面向：我心裡揣想的、行諸於紙上的，以及最後的成品。」

不曉得為什麼，我覺得很難直視他。我垂眼看著下層的某個書架，點點頭說：「或許是因為在心中揣想時，不用顧忌建材，所以比較能天馬行空，突破限制。」

「一針見血。」他說。他停頓一下又說：「妳對事情的看法始終很尖銳。」

我不確定這話是否是讚美，但我想他說的沒錯。然後一陣沉默，氣氛很僵，只有冷冷的蟋蟀叫聲與星光伴隨，僵到我願意開口只求結束這局面。我嘴巴裡吐出了「我很抱歉」。

我聽見他倒抽一口氣，也許他和我一樣驚訝。我並沒有抬頭看他的表情。

「我知道你覺得我很糟糕，這點完全不能怪你。」就這樣，我只有勇氣說到這裡。我搓弄著毛衣的邊邊，這件當然也是狄德麗織的，翡翠綠繡上金色的葉脈紋路。既然專為我量身裁製的衣服已回到我身邊，我睡覺當然就拿來穿上了。我好想念這些衣服給我帶來的舒適，想念衣服完全合身的感覺，就好像搖身一變成為很有價值的人。

「我不知道該怎麼想。」林登平靜地說：「的確，我告訴自己妳很糟糕，一定是如此，因為那是唯一的解釋。但我的思緒總是回到我記憶中的妳，那個妳躺在香橙園裡，說不知道我們是否值得被救。當時妳握著我的手，妳記得嗎？」

有東西衝過我的血液，從心臟往指尖擴散，回憶仍然在那裡縈繞。「記得。」我回答。

「還有上千件其他的事情。」他說，話語間不時暫停，確認他表達的意思是對的，彷彿語言好像不足以把他腦海裡的想法化為具體。「妳離開後，我試圖封起所有的回憶，將它們貼上謊言的標籤。我以為我做到了。但現在看著妳，我仍見到當我悲傷時餵我吃藍莓的那個女孩，穿著紅色小禮服、在回家的途中倒在我身上睡著的女孩。」

他靠上來，我的心都快跳出來了。「我努力要恨妳，現在也在努力。」

我看著他問道：「有用嗎？」

他的手動了一下，我以為他要伸手拿我上方書架的書，但是他卻摸了我的頭髮。我內心某部分因期待而緊繃，我屏住呼吸。

他傾身向前，我朱唇微張，在他還沒靠上前就期待這一吻。他的唇我很熟悉，我知道他嘴唇的形狀，也知道如何讓我的唇緊密貼上。他的味道也很熟悉。儘管伴隨有官邸與我們婚姻的幻象、色彩與甜甜香味，他的滋味總是實在。他的呼吸急促，我的舌頭抵著他的生命氣息，凝聚在齒牙之間。他把靈魂獻給我。

但這不屬於我。我心知肚明。

我抽身，輕輕脫離抓著我肩膀、正準備要移近我頸部的手。

「我不行。」我低聲說。

他的一手仍盤旋在我身側，像衛星一樣。如果把頭垂向他的掌心不知道會如何，我想像血液暖流直竄全身。

他看著我，不知道他看見的是什麼，以前我總覺得是蘿絲，但蘿絲已不在了，不在這個房裡。這裡只有他和我，以及滿室的書。我覺得我們的人生就在字裡行間，書頁裡的文字都是為了我們而存在。

我可以再吻他一次，甚至可以更進一步，但我的出發點是不對的，不能因為我的家人在遠方或甚至已喪生、不能因為我想念蓋布利歐就如此。在我的夢裡，蓋布利歐是我掉到大海裡的一個小東西，我醒來後明白可能永遠再也找不到他。但是林登在這裡，燦爛明亮，真真實實，要把他當作替代品，利用他讓我的慾望順水推舟，實在太容易。

但是此時理智和罪惡感介入。

我不會再像以前那樣傷害他——盤算著我想要的自由，所以操縱他的感情。

他似乎明白了，手指內彎縮進手心裡，原本舉著的手放了下來。

「我不行。」我又說了一遍，語氣更加肯定。

他朝我走近，惹得我神經直豎，像外頭的長草一樣沙沙作響，氣氛緊張。

「我們結婚至今，一直沒有圓房。」他溫柔地說。「一開始我以為妳只是需要時間，我願意耐心等。」他雙唇緊閉好一會兒，思索著。「但是後來這也不太重要了，只要在妳身邊，我就很滿足。我喜歡妳熟睡時呼吸的樣子，我喜歡妳從我手上接過香檳杯的樣子，我喜歡妳的手指太長、手套總是不合的樣子。」

一抹微笑牽動我的嘴角，我也不想壓抑。

「回首過去，感覺那些是最重要的部分。那是真實的，是不是？」

「是的。」我回答，確實如此。

他碰一下我的左手，看著我，請求許可。我點點頭，於是他撫平我的手掌，托起我的手，拉高到我倆之間。他的另一手在我的婚戒上來回摩搓，用大拇指和食指捏住戒指兩側，當我意識到發生什麼事時，我脈搏加速，口乾舌燥。

他把我的戒指滑下手指，遇到指節卻卡了一下，好似部分的我仍想撐下去。我身體往前顫了一下，在告別戒指前作最後一秒的留戀。

原來如此，就是這樣我才會一直戴著婚戒，總覺得自己摘下來就是不對勁。原來，只有一個人能夠放我自由。

「就當是正式宣布婚姻無效吧。」他說。

我忍不住伸出雙臂抱住他，緊緊擁著。他渾身僵硬，嚇了一跳，但也伸手環抱著我。我可以感覺到他緊握著戒指的拳頭。

「謝謝你。」我輕聲說。

幾分鐘後，我躺在沙發床上，看著自己的腳踝像斷頭臺的刀子一樣，在椅子邊緣擺盪。林登在圖書室裡漫步，檢視著書。

我從敞開的窗戶尋找月亮，但是月兒躲在雲層之後。

林登說：「妳哥哥是怎麼樣的人？」

我眨眨眼，這是他第一次問起羅恩，也許他開始想認識我了，知道我會告訴他事實。

「他比我聰明，也比較實際。」我說。

「他比妳大幾歲？」

「大概大九十秒吧，我們是雙胞胎。」我說。

「雙胞胎？」他說。

我把頭枕在沙發床的扶手，向後垂，視線上下顛倒地看著他。「你好像很驚訝。」

「只是……雙胞胎……」他說，斜倚著一排變形蟲花紋布面的書。「完全改變我看待妳的方式。」他欲言又止，奮力搜尋恰當的詞彙。

「覺得我只是完整事物的一半？」我說，試圖幫他釐清。

「我不會那麼說，妳本身就很完整。」他說。

我又看著窗外。「你知道我最怕什麼嗎？我開始覺得你是對的。」我說。

林登靜默了好久，他衣服發出窸窸窣窣的聲音，承載著他體重的椅子嘎吱作響。他說：

「我大概懂，失去蘿絲後，我繼續活下去，現在仍是，但我永遠都回不去她在世時的樣子，沒有了她，總是覺得哪裡……不太對勁。」

「大概就是這種感覺。」我附議。雖然我哥和我都還活著，我們分開愈久，我就越覺得自己在改變，我慢慢變成沒有他存在的樣貌。我再也回不去過去的那個自己了。

說到這裡，又是一陣靜默，但卻是令人舒服的靜默，平和，沒有負擔，一會兒之後，我開始想像沙發床是一艘在大海上漂流的小船，沉沒的城市在波濤底下播放音樂，鬼魂鼓動著。

有人打開電燈，我對著亮光猛眨眼，思緒紛紛散落。沒幾間房和這間一樣有功能正常的燈泡，雖然燈光會閃爍。

「林登？」西西莉說。

西西莉站在門口，緊緊扣住門框的手指節發白。她全身慘白，蒼白的臉，呈現出不自然嘴型的唇抖到發白，她雪白的睡衣捲到臀部，好像要露出身體給我們看。

但從她大腿流淌而下的是一大片的紅，在她的腳邊積成一攤血，長長的血跡跟著她進房間。

林登箭步而起，從她的膝後和肩頭一把將她抱起。西西莉突然淒厲地尖叫，林登必須用手撐住牆才止住踉蹌。林登抱她快速衝下階梯時，她一直嗚咽著。

我尾隨他們快速跑過長廊，腳踩到血窪而留下許多印子，我心想她那麼瘦小，要多少血才夠她維持生命，她失血的極限又是多少。鮮紅色沿著林登的手臂滲漏下來，像是血管裸露在皮膚之上。

他叫了我的名字，我懂他需要什麼。我跑到他前面推開大門。外頭的夜晚有溫潤的氣息，天空綴滿星子。我們赤裸的雙腳踩扁了青草，草發出憤怒的嘆息。鳥翼與蟲腿奏出樂音，幾分鐘之前，在滿是書籍的房間裡透過敞開的窗戶聆聽還很美妙。

車子後座散發出雪茄與霉味混合的惡臭，我讓西西莉的頭靠在我的腿上，林登跑去找他伯父開車。

「我失去孩子了。」西西莉哽咽。

「沒有，沒有這回事。」我說。

她閉起雙眼，啜泣到抽搐。

「醫院裡的人會有辦法的。」我嘴裡雖這麼說，自己卻一點也不信。我只是在安撫她，或許也在安撫我自己。我雙手捧著她的手，濕黏、冰冷的手，我無法接受眼前這個蒼白顫抖的女孩，不到一小時前還站在鏡子前抱怨自己的肚皮。

謝天謝地，林登很快就回來了。

往醫院的路途一路顛簸，里德開車橫衝直撞，路面也少有鋪好柏油的。林登抱著眼睛張得大大的、對一切充滿好奇的鮑文，不時哄著他，即使他沒哭。我總覺得鮑文悟性頗高，他可能會是林登唯一活下來的孩子。

我感覺到手指被輕壓了一下，低頭發現西西莉正在摸我以前套著戒指的地方，但是她沒多問，這個新娘一向要弄清楚她婚姻裡每個人的每件事，整趟車程她卻異常安靜。

「睜開眼睛，親愛的？西西莉，看著我。」看到她閉眼，林登這麼說。

她費力地睜眼。

「告訴我哪裡痛。」林登說。

「像宮縮那種痛。」她說，車子駛過坑洞時她蜷縮了一下。

「再一分鐘就到了，只要保持眼睛張開。」林登說。他聲音中的溫柔不見了，我知道他力圖鎮定，但他看起來好害怕。

西西莉愈來愈虛弱。她氣若游絲，眼神空洞。

「隨之而來輕柔細雨，」我慌亂中脫口而出。她往上看著我，我們同聲吟唱。「大地氣息潮濕芬芳，燕子嘹叫低低盤旋。」

「那是什麼？」林登問：「妳們在說什麼？」

「一首詩，珍娜很喜歡的詩對不對，西西莉？」我說。

「因為結尾。」西西莉說。她的聲音聽起來好遙遠。「她很喜歡詩的結尾。」

「我想聽聽整首。」林登說。

但是我們已抵達醫院，幾哩之內就只有這裡有光，如果街燈還存在的話，燈管大多早已燒壞。

西西莉又閉上了眼睛，林登把寶寶交給我，托起西西莉。她咕噥著我聽不懂的話，我猜想可能是詩的另一句，然後就全身癱軟。

我花了幾秒鐘才意識到她的胸膛已停止起伏，我等待著她下一口的呼吸，但卻沒反應。林登喚著西西莉的名，那從喉嚨迸發出的嘶吼，是我未曾聽過的人類叫喊。里德跑過我們，回來時背後跟著一隊護士，有第一代也有第二代的。她們從林登懷裡攫走西西莉，留下林登搖晃欲墜，仍伸手往前。我禁不住想，享有這樣的待遇乃因她是沃恩的媳婦。里德一定有表明這點。

鮑文開始哭，我揹著他，透過玻璃門看著西西莉。醫院的燈光讓她灰白的皮膚無所遁形，奇怪的是，我彷彿透過放大鏡看到她的婚戒，上面刻著的鋸齒狀花瓣宛如刀口，聚集每一道醫院的光線，反光刺痛了我的眼。然後她被抬上輪床，推過轉角，消失在我面前。

她死了。永遠不會回到我們身邊了。

這個想法重擊我的膝蓋後方，必然的事實讓我發抖站不穩。

第七章

我坐在醫院大廳的地板上等待。一直以來，最難熬的，就是等待。

周遭的聲音和人影來來去去。鮑文已進入夢鄉，耳朵貼著我的心臟，我的手臂因撐著他而發疼，但我無暇想這件事，我完全無法思考。

大廳很擁擠，靠著牆的一排椅子上擠滿了咳嗽的、打盹的、受傷的人。這醫院是州內少數幾家研究醫院之一，我公公常拿來誇口。他們收留受傷、體弱、懷孕，或染上病毒而垂死的病患，收留患者的標準是看哪個病例比較有趣，看誰願意在沒有補償的情況下被抽血、身體組織被採樣。

一位年輕護士手拿資料板，思考著誰的情況比較嚴重。西西莉被快速推進無菌通道，不是因為她的病況，而是因為她的公公執掌此醫院，院方認識林登。最後看到林登時，有人過來安撫他，而他使勁甩開追上去找妻子。

我不該讓鮑文待在這種地方，他優越的基因能保證他一輩子不染上重大疾病，但是他並非完全對籠罩著我們的細菌免疫。他可能會感冒。有人必須為他的健康著想，而突然之間這個任務就落在我身上，我懷抱著這個胖嘟嘟的小小身軀。

我抬頭搜尋里德的身影，終於看到他從我的姊妹妻被送進去的通道走出來，林登走在他前面，步履蹣跚，垂頭喪氣，面如槁灰。那一瞬間，我不想聽他們準備要說的任何事。我不想把鮑文還給他父親，我想帶著他逃離這裡。

林登的雙手已刷洗掉血跡，他的臉被濺濕了。他開始扭絞衣服時，我明白為什麼他的襯衫邊緣皺巴巴的。

「他們測不到心跳……」他說，用掌跟壓著眼窩，很用力。「我想守在她身旁，但他們把我推開。」

我滿腦子只想著西西莉應該要活得比我們久。

但是我張開嘴說出的卻是：「鮑文不應該待在這裡。」

里德明白，他總是懂我。他抱起寶寶，輕手輕腳，甚至對他微笑。

「我給她晚安吻時她還好好的。」林登說。

我應該說些話安慰他，我在婚姻中一向扮演安慰他的角色，但我們已不再有婚約，我也想不起該如何當個妻子。

「我不希望他們解剖她。」我說。我知道不該說得這麼可怕，但我無法不說出口。如果西西莉死了，所有的規則都被打破了。「我不希望你父親得到她的屍體，我不……」我的唇在顫抖。

「他奪不走的。」里德向我保證。

林登把頭埋入掌心裡哭泣。「都是我的錯。」他說，音調很怪。「我們不該這麼快就試著懷下一胎，父親說這麼做沒問題，但我應該想到這對西西莉來說負擔太大。她已經那麼……」他泣不成聲，我猜想他啞著嗓子吐出的字是「虛弱」。

在正常情況下，聽著姊妹妻和我前夫之間的親密細節會讓我紅了臉，但現在所有感覺早已離我遠去。

「我需要透透氣。」我說。

「等等。」他開始說，但是我仍踉蹌前行。突然一雙手抓住我的雙臂。我瞪著男護士的名牌，不明白，無法識讀，他年紀大概比我還輕。我父母親工作的實驗室也有護士，我總訝異他們很認真，對醫學瞭若指掌。

「艾許比夫人？」護士探詢，他的聲音太溫柔了。

我搖搖頭，眼睛看著地面。「抱歉，我不是。」我低聲說。

林登走到我背後，說了幾句我聽不懂的話，護士回的話我也不懂，直到我從林登的話語中聽到希望乍現的殘酷折磨。他問道：「我們可以看她嗎？」

我猛然轉頭盯著他，他想看西西莉？難道他不知道屍體不算是人嗎？難道他不知道那會有多糟？難道他不知道幾分鐘之前看著她被帶走就已經夠糟了嗎？

「但還要等一會兒，她才會清醒。」護士說。突然之間，我也不知原因，他的名牌我看懂了，艾薩克。整個世界從包圍著我的黑暗中再度浮現。

我心怦怦跳著，清晰可聞，幾乎要跳出胸膛。我仔細不漏地聽著每一句話。

在無菌室某張桌上，我的姊妹妻突然急促地呼吸起來。當時，醫護人員正拉起袖子，看著手錶，準備宣告死亡時間。

她的心臟從胸中打出血液，血液奔流至大腦、指尖、雙頰。

西西莉，我的西西莉，永遠的鬥士。

我的唇齒間迸出尖叫，充滿喜悅，如釋重負。

護士引領我們行過走廊，我們的腳步聲在四周響起回音，就像在鼓掌。

林登和我擠在一起，透過她門上的小窗戶看她，我們還不能進去，她不能受到刺激。她的身體還在經歷第二孕期流產的衝擊，這些都是研究感興趣的案例，這間醫院宗旨便在於此。醫生想知道與第二代人類有關的一切，這樣劇烈的流產自然引發各界的興趣。病房裡有監視器紀錄她的心律，護士正解釋每小時會量一次她的體溫，並且詳細紀錄她身體任何細微的化學變化。

但我在那些事情中看不到有陰謀詭計，看不出更多的研究素材。我只看到我的姊妹妻，氣若游絲，危在旦夕。

她戴著的氧氣罩，因呼吸而起霧。她的雙頰泛紅，懶洋洋地環顧連接到她身上儀器的線路，她的心跳是螢幕上的綠色小點。她看起來好孤單，在夢境中迷茫。

我把手壓在玻璃上，我皺著眉的反射影像映在她的病床上。

「她會好起來嗎？」林登問，他一定都沒聽進護士的叨念。

「早上你們就可以進去看她了。」護士回答。

林登臉上仍殘留著稍早的淚痕，他的嘴唇在動，向神明發出無聲的禱告，我唯一能辨識出的詞是「謝謝」。他牽起我的手，領我走到大廳，我們在此等候朝陽，等待晨光將西西莉的秀髮染成平日的火紅。

為什麼會這樣？原因很多。第一代的醫生告訴林登，她很年輕。此外，不管基因優越與否，兩胎之間間隔太短對年輕女孩都是一大風險。聽得出來醫生對此採不贊成立場，許多第一代人憎惡他們孩子和孫子的遭遇，他們看著我們，想著我們應該有的模樣，而不是我們目前的境況。

醫生以不帶感情的語調，使用許多臨床醫學的詞彙說明：胚胎、感染、胎盤、假設、病患，這種照本宣科的方式有效地防止情緒激動。最有可能的假設就是胚胎已經死亡多日，因為遺留腹中未受檢，感染就經由血液擴散，如野火蔓延燃燒。她的身體最終察覺，開始運作要除掉問題根源，所以進入分娩狀態。她開始出血，最後引發休克。在車上我們努力要讓她保持清醒之際，她的身體機能已經停擺，倘若沒有適當處置，我們必定會失去她。醫生解釋的方式相當制式，聽起來很合理，我覺得很像在讀我父母的實驗報告。

就這麼簡單，說明完畢。完全沒有提到要不是她用盡最後的力氣下床，拖著身子走過來，那麼等到我們發現她時就為時已晚。當她孤單地在走廊另一頭的房間裡死去的時候，我們還會揮霍多少時間在談論婚姻無效與孿生哥哥？我把那想法快快拋諸腦後，愈遠愈好。

「我不明白，一點跡象都沒有。」林登說。

「她一直滿臉通紅。」我提供意見，因為我想起和她同床睡時，她的身體有多熱。我逐一點出她的症狀：呼吸很濁且鼾聲大作、走動時骨頭似乎喀喀作響、眼睛下方浮腫的眼袋。林登聽聞驚訝不已，直呼竟如此嚴重。這點我倒不訝異，即使在官邸外，他還是什麼都看不清。他只看到從小被教導要看的，我不能因此而怪他。

稍後，當我們在大廳獨處時，他說：「都是我的錯。」

「不是，當然不是。」我說。

他渾身發抖，我拍拍他的手臂。

「珍娜生病後，西西莉傷心欲絕，她唯一開心的時刻是和鮑文相處時。我父親說服我，再生一個孩子會讓她快樂點。」他說。

「那你呢？你想要再生一個嗎？」我問。

他低頭看著大腿，很小聲地說：「不想。」他抹去臉龐上的淚，「我只是不知道還能做什麼讓她更快樂。」

可憐的林登。他一度擁有四名妻子，個個他都喜歡，甚至鍾愛。但我們嚇著他了，以強烈的情感、大量的悲傷與敏銳的心嚇著他了。蘿絲很瞭解他，她藏起自己的悲傷，找到方式去愛林登。珍娜和我躲著他，在餐桌上我們笑吟吟，夜晚讓他睡在我們身旁，但私底下我們哀痛。但是西西莉只能用她所熟知的方式愛林登：傾其一切，毫無保留。我見識過她的憂傷，令人害怕。她懷鮑文的時候就開始，生產完後情況更甚，珍娜撒手人寰後更是嚴重。

接著是我的離開。

林登只希望西西莉開心，他傾注滿滿的愛，送她許多漂亮的東西。但一直以來，他都知道，即使是他，也終有一天必須離開。

我們被帶入病房探視西西莉時，她的床頭已調整為微微傾斜。她眼神陰鬱，因流產造成的感染讓她高燒未退，臉上滲著汗珠。她的嘴唇和雙頰泛紅，頭髮糾結。

她好似歷劫歸來，被生吞下肚再吐出來。

林登和我並肩站在門口，他伸手找我的手，但沒有握住。我知道他努力要尊重婚姻無效的約定，要習慣我們已不是夫妻的事實。但此時此刻，我希望他握住我的手，如同以往，我們彼此都需要對方的力量。

「林登？」西西莉啞著嗓子喚。

林登馬上衝到她身旁。「我在這裡，親愛的。」他說，熱情地親著她的頭頂、鼻尖、嘴唇，彷彿想要一股腦地訴說他多麼高興沒有失去她。這是西西莉賴以維生的關注，但她此時實在太虛弱，只能勉強擠出一個微笑。

「我醒來時你不在這裡，我很擔心你。」她說。

林登疲弱地笑了。「妳很擔心？昨天晚上妳把我嚇到幾乎沒命。」他說。

「是嗎？」她想把眼底的瞌睡蟲眨掉。醫生告訴我們她不會非常清醒，可能也無法講太多話，但醫生顯然低估了她的意志力。「鮑文在哪裡？」

「鮑文很好。」林登說，在她唇上再啄一吻。「我伯伯先帶他回去了。」

「他肚子會餓。」她說，想把身體撐起來，但林登按著她的肩讓她躺下。

「西西莉，鮑文被照顧得好好的。不久妳就會見到他了，現在妳需要休息。」他的語氣很堅定。

「不要把我當小孩子哄。」她說。

林登說，握住她的手，說：「抱歉，妳不是小孩子。」

她根本就是，但是她掩飾得很好，有時連我都忘了這點。

不過，我怎麼想其實無足輕重。他們夫妻正沉溺於自己的小宇宙，我只是個外人。我第一次感受到婚姻無效的效力。

西西莉用迷濛的眼神看著我。「全部都被妳說中了。」

「噓，妳應該睡一下。」我摸摸她的手臂。

「我們自以為是誰？連自身的詛咒都破解不了，卻妄想生孩子？」她對林登說。

雖然她的語調很平靜，嘴唇卻在顫抖。

「親愛的，這些以後再談，妳現在不夠清醒。」林登哄著她。

「我腦袋清醒得很。」她說，聲音既古怪又粗啞，眼淚從兩側的太陽穴流淌下來。

林登的眼神充滿痛苦，雖然我不確定是因為他擔心，還是因為他認同西西莉的話。他低聲在西西莉耳邊說了些話，她稍微平靜些，任由林登用袖子拭去她的鼻水。她已經奮力撐著了，但是仍不敵發燒、疲倦和藥物的作用。

「我可以先回去照顧鮑文。」我的提議聽來不怎麼樣。

「不要。」她的聲音愈見微弱，雙眼闔上。「不要，不要，不要。留在這裡，讓我好看得到妳，回去不安全。」

她有點神智不清，不過這話也有幾分真實。

「好了。」林登輕輕劃著她的眼皮，他的手臂微微地顫抖，幾乎看不出來。「好好休息，我們都在這裡。」

她的眉毛揚起，但是眼皮仍闔著，嘴裡喃喃地說：「你保證？」

「我保證。」林登說，語帶絕望，他當然不會丟下她。經歷這一切後，我不認為他還會讓西西莉離開視線。西西莉也知道，只是需要聽到他說出口。

林登信守承諾，西西莉睡著之後也沒有離開，只是坐在那裡皺著眉頭，順著她的頭髮。我坐在病床另一頭的椅子上，像個隱形人。我不屬於這裡，但今晚也無處可去。我不希望她半夜醒過來發現我不在而陷入恐慌。

林登彷彿有讀心術，對我說：「謝謝妳留下來。」說話時仍目不轉睛盯著西西莉。

「等她比較堅強我就走。」我說。

「我之前說的是認真的，我希望妳平安。」

「我知道，你不用擔心我。」我說。

「雖然如此，我希望這次能好好道別。」

他偷偷看我一眼，他的微笑和蘿絲過世那天清晨的微笑一模一樣。只不過那個清晨，他意識到我不是蘿絲時，那抹微笑就消失無蹤；現在，微笑仍在。他知道我不是一縷幽魂，而是個女孩，雖然一直以來不特別對他友善。

「我保證這次會好好道別。」我說，要是再多說些什麼，我鐵定會哭出來。

監測器穩定地傳出姊妹妻的心跳聲，我想起蓋布利歐，不知他身處何方。我也不知道我對他的愛，能不能像林登和西西莉的愛，抑或像林登和蘿絲的愛那麼濃。我從來不能瞭解，為什麼要耗盡所有的情感在沒幾年可以享受的事情上面。我從不打算結婚，雖然在軟弱和愚蠢的時刻，我放任自己假裝還有時間可享受那些感情。

但對感情的渴望此刻急速湧現。這樣算是愛嗎？我從未感覺如此孤單。

我們的人生變化何其多。我們唯一能想像的，就是誕生在一個家庭裡，之後命運會改變。建物倒塌，大火四起，下一秒鐘，我們就身處異地，一舉一動皆不同，努力適應我們的新身分。

我曾為人女，後又為人妻，現在兩者皆不是。這個坐在我眼前悶悶不樂的男孩已不是我的丈夫，而令他發愁的女孩也不是我，永遠都不會是我了。

第八章

林登抬頭看門上方的時鐘。

「也許妳該去一下自助餐廳。」他告訴我。

「需要幫你帶點什麼嗎？」我問。

他搖搖頭，看著西西莉胸膛起伏。她呼吸不太順，已經睡了幾小時了。「我父親待會兒就到了，最好不要讓他看到妳。他從研討會中趕過來，他說路程大概得花上幾個鐘頭。但這是他今早說的。」

我渾身發冷。「你打電話給你父親？」

「當然。」他的音量或許比他預期的還大，因為西西莉睜開眼睛，迷濛的雙眼直視我們，我不確定她是否完全清醒。林登把她前額的頭髮往後撥，傾身靠近她說：「妳會得到最好的醫療照顧，我父親會打點一切。」

此時她的瞳孔瞪大，看得出來她想要瞬間恢復警覺，就像目睹人跌入結冰湖，掙扎著找不到東西可抓。「不要。」她說。她的心跳加速，監測器上的嗶嗶聲漸強。「林登，不要，拜託，不要。」她轉頭尋求我的協助，我緊握著她的手。

「怎麼了，親愛的？沒有人會傷害妳，我就在這裡。」林登說。

她猛烈地搖頭。「我不要你父親來，不要他來。」

但是為時已晚。她的惡夢已經抵達，我聽到走廊上傳來他的聲音，叫著西西莉的名字。然後他現身。

沃恩帶來了春雨與泥土的氣息，這個氣味總讓我想到生命，但此刻只覺嗆鼻。他的頭髮被雨淋濕、被風吹亂，大衣在滴水，靴子把瓷磚踩得泥濘不堪。「喔，西西莉。我真為寶寶感到難過，假如妳聽我的話待在床上，說不定就不會發生這件事了。妳總是太魯莽，不為自己著想。」沃恩說。

想當然耳他是在責怪西西莉。

西西莉踢著腿，想把自己推得離他遠點。我從沒見過她這麼驚恐，過去數個鐘頭都在沉睡的女孩，現在竟能使出這等蠻力擰我的手，力道之大，我確定足以讓人瘀青。

林登求她，「拜託，親愛的，妳得回去躺下，妳身體還沒好。」

但是西西莉根本沒聽到。她對沃恩說：「是你幹的，你一找到機會就想活活把我埋了。」

她空洞的眼神讓我心驚膽跳。現在她坐了起來，能講完整的句子，但卻神智不清，頭腦混沌。

沃恩和我擦身而過，在她的病床前傾身，我以為他要攫住西西莉的手臂，就像那天早晨在里德家門口一樣，但他只摸了摸吊在旁邊的點滴，確認上頭的紀錄。「他們不應該給妳這麼強的藥，我會處理的。」他說。

「不要，不要。」西西莉轉向林登，哀求著。「你叫他走，他要我和我們的小寶寶死。」

林登眼裡閃過一絲痛楚，他眨了好幾下眼才能開口。「西西莉，別這……」

「林登，叫他離開就對了。」我咬牙切齒地說。

沃恩冷冷地瞥了我一眼，然後感情洋溢地凝視著西西莉，說：「親愛的，妳現在頭腦不清楚，我們會幫妳換比較溫和的藥，妳會舒服一點。」然後轉頭對林登說：「我們到外頭講話。」

他們一離開，我好好安撫了西西莉，於是她重新躺下。「別擔心，他不會回來。」我說。

「他會想辦法帶走鮑文。」她說，眼眶泛著淚。

「不可能。妳看過里德收藏的槍枝嗎？他不會讓任何人碰鮑文一根汗毛。」

我用綠毛衣的袖口擦擦她的臉頰，因為這是我能想到最柔軟的東西。毛衣接起她的淚，卻沒有吸乾，淚珠垂掛在毛衣纖維上，像是晶亮的星星。

「我覺得好怪，感覺沉在水中。」她說。

我把被單拉到她的下巴，用手背探探她的額頭。「是發燒的關係。」

「妳確定嗎？」

「確定，我知道這種感覺。」我說。

「我在懷鮑文之前，從來沒有一天生過病，連流鼻水都沒有過。」我說。

「妳很快就會好起來的。」我說，但願此言成真。

「我夢到沃恩戶長把我推進泥巴裡，我開始下沉，他的雙眼變成珍娜的雙眼，我想大叫，但滿嘴泥巴。」她說。

我是否能持續守護在她身邊已不重要；但我永遠無法保護夢裡的她。

「那不是真的。」我把醫院提供的薄毯拉起，蓋住被單。「眼睛閉上。」我輕聲說，她照做了。我把她的頭髮一小撮一小撮編成辮子，解開，再重編。以前珍娜無聊時，也都會這樣玩我們的頭髮，這個場景很常出現。而現在這麼做讓我覺得西西莉和我仍是昔日三人行的一份子。

「不要丟下我一個人，拜託。」她說。

「當然不會，我就在這裡，」我說。

「他想謀殺我。」她說。

「如果他敢，我會先殺了他。」我對她說。

「不必。」她的聲音含糊不清。「我自己來。」

我繼續編辮子，藥效終於發作，再加上疲倦，她終於入睡了。她的嘴巴微張，吐出均勻的呼吸。

從我逃走以來，她已長大這麼多。原本小巧的下巴變長了，剛剛好讓臉褪去以往嘟嘴的模樣，給她增添了幾分自信。以前頤指氣使的優越感，已蛻變為冷靜、實際、有把握的器度，也許沃恩當天早上會抓住她的手臂，就是恐懼自己已失去對西西莉的掌控吧。她的氣勢顯而易見，也是這股力量，讓她從鬼門關氣喘吁吁地回來，好像在說她註定有二十年的壽命，她非得兌現不可。

「珍娜會以妳為榮的，」我低語。她的眉毛糾結了一下，然後又鬆開。

林登雙臂交叉貼腹，走回病房，臉上帶著淚痕。他看起來很渺小，驚惶失措，他這個模樣我只見過一次，就是他哀悼蘿絲的那個深夜，但當時夜色隱匿了最糟的一面。他顫抖的呼吸讓我的雙臂憶起他在棉被下的身形，我內心深處的某部分想要緊緊擁抱他。

「她還好嗎？」林登問，聲音哽咽。

我開口準備要說她還好，但嘴裡迸出來的字眼卻是：「她嚇壞了，林登。」

我以為他會反駁，說西西莉安全得很，但他只是點點頭，在病床旁的椅子坐下來。「我父親同意暫時離開，讓她可以休息，但他希望今晚可以帶她回家。他認為西西莉在自家床上，接受我們自家醫生的看護，才能得到最好的照顧。」他看著西西莉眼球不停轉動，正在作夢。她的眼皮打開了一條縫，露出一絲眼白。「我說這個主意不太好。」

不得了，他第一次反對父親的決定。

我回想起昨晚他徹夜未眠，等著可以再次見到西西莉的時刻。我在候診室數度打盹，身體倚著他，每次我驚醒，他的臉都變成另一種悲傷的樣貌。我柔聲說：「林登，你至少得先睡一下。」

他搖搖頭，看著我爬梳西西莉的頭髮，準備編一股新的辮子。

「我父親警告我，說妳是個外人。他叫我把妳趕走，畢竟我們已無婚姻關係。」他說。這個想法讓我背脊一涼，的確，我確定沃恩很樂意見到他兒子拋棄我，這樣我一落單，他就可以俯衝而下奪取獵物。

但林登又說：「我告訴他，這也不是個好主意。」

到了傍晚，林登已不敵睡意。他坐在椅子上，拱著背靠在床沿，頭與西西莉共枕，手抓著她的臂膀，好似她會從他身邊飄走。我聽著雨滴雷鳴，依稀聽見當中有珍娜的聲音，發出陣陣警訊。她已經離世好幾個月了，但有時候覺得她比以往更真實地活著，她是風中最難解譯的聲音之一，遊走在各個夢境裡，好夢惡夢兼有之。

我斷斷續續地睡，半夢半醒間，聽到西西莉的歌聲，高亢，清亮，甜美，我夢到珍娜編著自己又黑又長的秀髮，音符在房中流瀉。我們在這裡很安全，比我們清醒時安全。

但是黎明破曉，現實隨之而至。輪床和推車的轆轆聲迴盪在大廳裡，取代了昨夜風暴的險境。

「我給妳帶了一點茶。」我睜開眼時林登說，他頭朝茶几上的紙杯點了點。「已經涼了。」

「謝了。」我說。

「不客氣。」他說，眼睛看著西西莉。西西莉沉睡時的臉放鬆多了。

「我覺得在我父親離開後，她有比較好。」林登說，表情哀愁，有氣無力。他呼吸感覺會痛一樣。「我還以為她愛我父親，還以為我父親愛她。父親曾說，西西莉就像他親生女兒一樣。」

我心想，此時此刻不適合說他父親的壞話，林登已經夠難受了。我啜飲著茶，茶是冷的，但落入胃中立刻有感。翻騰著，喚醒我的五臟六腑，很提神。

不管林登在想什麼，他都沒有說出口。他只是凝視著西西莉。

「她會沒事的。」我說，語氣堅定。「我們幫她裝個鈴，她需要什麼就可以按，不出第二天我們就會想把鈴丟出窗外了。」

這話讓林登臉上泛起微笑，我聽到他揉揉下巴時搓過鬍渣的聲音。他開口好像要說什麼，但旋即別過頭去。

「怎麼了？」我問。

「妳會不會覺得……」他嚥下痛苦的感受，「妳會不會覺得我父親和這件事有關？」

林登啊，對他來說這是個邪惡的念頭，即使是我都不敢揣想這個可能性。但現在恐懼和驚愕已逐漸消退，我知道這是最貼切的解釋。沃恩詭計多端，他不用和媳婦們共住同一屋簷下，不用待在同一城市，也能毀了她們。他有辦法滲入我們的血液，像病毒一樣致命。

我滿腔憤怒加劇，無法再隱忍。「你的推論很合理。」我說。

可是林登好像沒聽到，只是直視前方，然後說：「失去她會毀了我，我父親知道這點，對不對？」

「對。」我小心翼翼地回答。從他臉上看得出懷疑，他在拼湊線索。沃恩沒跟林登提過他已故的哥哥或母親，他不要林登對他們懷有一絲情感。但是林登可以盡情去愛妻子們，因為如果林登妻子死去，沃恩知道兒子就會回到他身邊，既心碎又無助，非常好控制。

他看起來好憔悴，我把椅子挪到他旁邊，把那杯冷茶放到他手裡，我用掌心托著茶杯，送往他的唇邊。他順從地啜了一小口，但手抖得厲害，茶都濺到大腿上，我得把杯子拿開。

我張開雙臂擁抱他，他緊緊抓住我的襯衫，一把將我拉近。

我對著他耳邊說：「嘿，她會沒事的，這點最重要。剩下的我們慢慢會弄清楚。」

林登點點頭，不再多言，但我可以感受到他的憤怒。這是一切的起點，這個小火花最終會吞噬他。

第九章

我擰乾海綿，水桶的水因為姊妹妻的血而變得粉紅。里德自己做肥皂。這些以天然燕麥為基底的方塊，在所有東西上留下一層淡褐色的薄膜。但這些肥皂對他車裡的座墊很有效，大片的血漬變成暗橘色，然後轉灰，現在看起來比較像是油漬。但我希望可以完全洗掉，所以我刷洗到肩膀痠痛，座墊都開始變薄了。待會兒我還要擦走廊的地板，把紅色血跡擦掉，洗床單，要是洗不掉就準備燒掉。她孤零零在醫院病房裡失去腹中胎兒已經夠慘了，如果她回家時，證據還歷歷在目，那我就罪過了。

「我覺得妳已經洗得很乾淨了，寶貝。」里德說，他手肘以下全都髒兮兮的。他之前說會在棚屋做事，不曉得他剛在這裡站多久了。我沒抬頭，繼續刷。

「沒有全部。」我說。

「是嗎？反正之前真的很髒，妳不可能弄到完美無瑕。」

「我可以。」

「寶貝……」

我再次擰乾海綿，粉紅色的肥皂水從指縫滴下，落在血漬上。這樣擦下去沒完沒了，我得換桶乾淨的水。我提起水桶，卻因手濕而滑了一下，整桶水打翻，灑到車子的地板上。突然間我動彈不得，只能眼睜睜看著水被吸進地毯裡。我呼吸沉重，肌肉痠痛，頭痛欲裂，我只想把這輛笨車清乾淨，卻連這點都做不到，不可能做到了。

這件事是因我而起的嗎？因為我警告西西莉提防沃恩，讓她反抗心加劇，反而讓沃恩開戰，最終置她於險境？若讓她繼續處於快樂的無知之中，又會有多糟？也許在沃恩的控制之下她會比較平安，也不會失去寶寶。

一陣反胃感，我緊閉雙唇，極力忍住乾嘔。

里德爬進駕駛座，伸長了手打開前方乘客座位的門。「來吧，」他說，我昏沉沉地步出車外，繞行至前方，在乘客座位上坐下。我重重地關上車門，使得整輛車都在震動，我的眼淚瞬間撲簌簌直流，止都止不住，而我也累到無力停住淚水。在醫院裡，我一直坐在塑膠椅上拱著背睡，規律尖銳的嗶嗶聲持續滲透至夢裡。我腰痠背痛，而且脖子也扭到，但我又怎麼能為此自憐？不行，尤其是當林登雙眼浮腫、又還有這麼多清潔工作待完成時。

里德的雙手在方向盤上滑動，假裝在駕駛。「這星期不好過，是嗎？」他終於說話。

我哼了一聲，舉起手腕抹抹眼睛。「是啊。」

「他們今晚要讓她出院，對吧？林登最年輕的妻子。」

「她叫西西莉。」記名字不是他的強項，所以我提醒他。「而且她現在是林登唯一的妻子。」

「那麼，至少這算是好消息吧，對不？表示她會沒事的。」

我走之前，她躺在醫院病床上，摟著兒子搖晃身體，在他髮間低聲說話。林登正對她說些什麼，但她一直把頭別開。

我很詫異，為什麼她同時看起來那麼年輕又那麼蒼老，然後我想到珍娜，剛強、堅毅、美麗的珍娜，面如死灰，我們眼睜睜看著她在我們手中斷氣。沃恩能對我們為所欲為，他能讓我們生病，也能使我們痊癒，他若願意，就能讓我們在保存期限後多活幾個月。他可以接生我們的嬰兒，或讓他們胎死腹中，或在發現他們畸形時悶死他們。

而我無法阻止他。我只能清理打掃。

「我得去提桶清水。」我說。

「妳該休息了，妳快累倒了。」里德說。

我的雙腿靜止時竟抖個不停，淚水在眼眶打轉，即將潰堤。「在那之前，我還有工作要做。」

「妳要是昏倒了，對任何人都沒好處，坐一下。」他說。

「如果你逼我暫停，那我就要問我想問的全部事情，問到你厭煩為止。」我警告他。

「一言為定。」

「而且你得回答我。」我說。

「儘管問。」

我想都不用想，有個問題我憋很久了。「你結過婚嗎？」

「沒有，我寧願單身。有一陣子養過狗，狗跟進跟出，不發一語，要是老婆的話，應該不會允許我有那種程度的安寧。」他說。

「你從來不想要小孩？在發現病毒之前也不想？」我問。

「生小孩對我這種人來說，似乎太莽撞了。知道病毒存在之後，就不只是莽撞，而是殘忍了。不要介意，寶貝，妳也一樣有權利誕生在這個世界上，和第一代一樣。但如果要我看著某種生物過完一生然後死去，我寧願去養狗。」

不知道為什麼，這席話讓我發笑。狗。我的壽命只比狗多個幾年。拯救姊妹妻的大費周章，以及她留在後座椅墊上的血漬，到頭來都會比她存在更久。里德允許一屋子的孩子擾亂他的清靜，幾年之後，我們都會死去，只有花白頭髮、滿手皺紋、難掩倦容的他存活下來。現在年輕力壯的我們，六年之後都會無影無蹤。一切是如此荒謬。

里德對我皺眉。

我止住大笑，只剩斷斷續續的呵呵聲，說道：「你弟弟一直對大家洗腦，承諾有解藥，他建了這些醫院和祕密藏身處。但你卻沒有。」

「我弟瘋了，徹底瘋狂。別誤會我，但如果妳把外在的一切都剝開，就會發現他只是不想再埋葬另一個兒子。我必須這麼想，不然我也無法相信他還是人。」里德說。

「要是他救不了林登，他就會把注意力轉向鮑文。」我說。

「鮑文和林登啊！」里德說著雙手輕拍方向盤，眼睛直視前方。「這兩個名字我還以為再也不會一起出現了。」

「什麼意思？」我問。

「沃恩不願意談論過去，這點妳懂。」里德說。「可憐的林登，渾然不知他兒子的名字是來自他已故的哥哥。」

當晚，西西莉出院了。在雨中，里德在彎彎曲曲的偏僻小徑上開得飛快，老爺車的輪胎在急轉彎時發出刺耳的嘎吱聲。透過擋風玻璃，我什麼也看不見，心裡納悶著為什麼他看得見道路，他當真看得清？

林登坐在前座，抱著鮑文，有耐心地說著「開慢一點，里德伯伯」、「那是停車標誌」等話語。

西西莉雙眼緊閉，蜷縮在後座，頭靠在我肩膀上。我知道她很清醒，因為每當車子駛過凹凸不平的路面時，她就全身緊繃，但是她一聲不吭，而我也知道她強忍的原因。

當她早產時，已經失去意識，性命危在旦夕。但醫生用化學藥物幫助她分娩，擴張子宮頸，鬆弛肌肉，強行排出一切。我記得在西西莉的生產書籍中看過一張四個月大胎兒的圖片，圖中的胎兒正在吸吮大拇指，閉眼，屈膝，雙腳交叉。即使幾天前西西莉比較堅強了，她還是要我待在她身邊。她和林登向醫生問起死胎時我也在場，他們想知道能不能看胎兒，想知道是男孩還是女孩。醫生說死胎早送走了，捐給醫院的研究實驗室，實驗室專門收留值得分析的案例。醫生說他們應該感到欣慰，因為他們夭折的寶貝也許有助於找到解藥。

我記得他們一時語塞。他們已經傷心欲絕，不可能再容納新的悲痛。林登用手掌按住太陽穴時，雙手都在發抖。

他們已極力忍受這不幸。沉默就像即將潰決的大壩。車子嘎一聲驟然停住。

「等我去拿雨傘，西西莉，親愛的，把帽子拉上。」林登說。

她坐起來，疲軟無力，半邊頭髮凌亂。我幫她拉上外套的帽子。「我們到了？」她喃喃說道。

我說：「是的，妳可以上床睡覺了。我早上還過來把床單的灰塵都洗掉了。」我絕口不提血漬的事。

里德說：「是啊，誰知道洗衣機真的可以用？我一直都拿來儲藏食物。」

「床鋪好了。」我皺眉，把她的頭髮從臉上撥開。「床單有多摺一摺才塞進去，照妳喜歡的方式鋪床。」用這種方法安慰她還真是可悲，和她所承受的相較，簡直微不足道。

「謝謝。」她打著哈欠，因睡意而偏著頭。林登拉起鮑文塑料雨衣的帽子，先把他抱給里德，然後再協助西西莉步下車子，撐傘為她遮雨。一進門，他準備抱起西西莉，卻被她斷然拒絕。

「等等。」林登說，但是西西莉逕自穿過走廊。自從那晚她的心跳停止，她眼裡就流露出冷淡。她像夢遊一樣沒有意識，不理會他人的呼叫。她再也不談那些惡夢，卻沒從惡夢中甦醒。現在，她以指尖拂掠牆壁，步履蹣跚、搖晃，但堅定。

里德方才拉了電燈開關線，閃爍的燈光照亮了樓梯間，此時退到一旁讓西西莉通過。她走到他面前站定，身高不到里德的肩，目光迎向他。她說：「我對之前的行為舉止覺得很抱歉，我很過分，你卻一直如此慷慨包容。謝謝你讓我住在你家。」

而總是在她走出房間時嘀咕著氣話的里德，此時也軟化了。「別放在心上，孩子。」他說。西西莉擠出一個笑容，然後費力地走上嘎吱作響的樓梯。

到了臥室，她馬上趴著倒在床上，林登幫她脫掉滿是泥巴的鞋子。她轉身躺著，像個破娃娃一樣了無生氣，眼神空洞地看著林登為她解開大衣扣子，從手臂處拉下袖子，搓暖她的手指。

整個過程林登一直好言好語，喃喃說著西西莉多麼重要，讚美她好堅強，但西西莉完全沒有反應，即使林登說他愛她時也完全不作聲。

然後我聽到她喘不過氣，看到她扁嘴啜泣。水壩終於潰堤。

林登把床單掀開時，我退到門邊，離開房間。應該要讓他們獨處，丈夫和妻子，容不下沒有婚姻關係、尷尬的第三者，反正我也即將遠行。如果西西莉知道我是為了她而留駐，她鐵定會把我推出門，但我在確定她沒事之前不能走。

我下樓到廚房，里德一邊想用奶瓶餵鮑文，一邊忙著弄泥土、玻璃罐什麼的。他頭也沒抬地對我說：「袖珍西瓜，如果我可以讓種子在玻璃罐中生長，就會種出這種形狀的西瓜。不大也不小。」

「不錯耶，以非基改的方式來改造。」我說。

「聰明，只可惜妳不會久留，看不到結果。」他說。

我抱起鮑文，他小歸小，卻沉甸甸的，很結實。我坐在椅子上，餵他喝完剩下的奶。我看著他的嘴唇抽動，乳白的配方奶汩汩流入他的唇間，卻不會濺出來。他眨著眼睛。他是個完美的小小機器，設計製造毫無瑕疵，只除了一處小小的故障。

這安靜維持了一會兒，里德打破靜謐：「那孩子看起來像是在鬼門關走了一遭。」

我喜歡里德看到西西莉的真實面。

我附和：「她是去了趟鬼門關，但我不確定她回來了沒。」

里德伸手進玻璃罐，把一粒種子壓進土裡。

「她深信沃恩要她死，她不會再讓沃恩接近她。」我說。

「是這樣嗎？」里德說，語氣一點也不驚訝。「妳認為呢？」

「沃恩做出這種事我不意外。」我邊說邊傾斜奶瓶，好讓鮑文不要吸到空氣，以前我看過媽媽在實驗室裡照顧新生兒時這麼做。「如果第二度懷孕對她來說本來就很危險，或許沃恩根本什麼都不用做，只要翹著二郎腿等就得了。我只是不明白為什麼。或許他發現無法再控制她了，但是要她死？對他有什麼好處呢？」

「聽說以前有獵人，會把整隻獵物利用殆盡。取脂肪來烹飪、取肉來食用、取毛皮來穿、醃漬內臟、膜拜其骨。我弟弟就像這樣，一分一毫不浪費，全部都有用處。」

「你說的是因紐特人，他們以前會用獸骨雕刻，以肉筋做線。」我說。幾年前我在父親的百科全書裡有讀過，他們住在加拿大的北極圈，幾乎完全靠海維生。即使是現在，那些照片的畫面仍歷歷在目，因紐特人身著厚重毛皮大衣，垂著兩條黑髮辮子的小女孩抓著魚，背後的雪地上一排長長的足印。我記得照片中的他們好有生命力、好美。把他們比做沃恩讓我很痛苦，但事實卻是如此，他會把我和姊妹妻像對魚一樣開腸剖肚，取出內臟，每個器官各有用途。

憤怒一度把我擊垮，我的手禁不住顫抖，奶瓶滑出鮑文的嘴，但他又用力吸回去。我正抱著這麼脆弱的小生命，滿腦子卻是可怕的想法，實在不太妥當。

里德說：「妳懂很多，寶貝，但歷史書的內容不能盡信，書會說謊。」他搖著一小罐裝種子的玻璃瓶，舉高對著頭頂上搖晃的燈泡，種子是未出世的小東西，我討厭種子，它們被種下後，就會長成它們應有的樣貌。

「萊茵？」林登輕聲叫我。他站在門口，蒼白如死人。

「鮑文快餵好了，等會兒我會抱他上去，還是你現在就要接手？」我說。

「不用，讓他喝完。」林登說，語調完全沒變。「餵完他就直接把他抱到搖籃裡，如果妳不介意的話。我們明天早上見了。」

他沒等我回答，緩緩轉身，動作精確，彷彿頭頂了一個瓷盤似地要保持平衡，然後消失在走廊的黑暗中。

玻璃罐另一邊的里德正皺眉。他說：「可憐的孩子，我總盼著有朝一日他能醒醒，看清他父親的為人。但我怎麼也不願意見到他像現在這樣。無知是福，這句話妳聽過嗎？」

「聽過。」我回答。雖然我這一代並無福享用多到可以揮霍的無知。

「我侄兒是個聰明人，但我想他寧願保持無知。不過妳就不同了，妳的腦袋總是轉個不停。」里德說。

「靈光是靈光，但我給大家帶來的只有麻煩。」我說。

「麻煩本來就存在了，妳只是把它攤在陽光下，如此而已。」

鮑文把整瓶奶喝光光後，我抱著他上樓梯，盡量小心別踩到會嘎吱作響的那幾階。臥室裡的燈已經關了，但我聽到西西莉說：「你父親絕對在地下室幹什麼勾當。」

「我們什麼都沒看到啊。」林登說。他們都才剛哭過，從聲音就聽得出來。

「我聽過牆壁間傳來的聲音，例如人聲。我覺得萊茵沒說謊，她不會對我說謊。」

「親愛的，我以前也這麼認為……」

「我相信她。不管你信不信，我都相信她。」她因為啜泣而停頓。「住手！別那樣摸我，一副很憐憫的樣子。」

「等妳狀況比較好，我們再好好談。」他說。

「我不是玻璃做的，不要表現成一副我隨時會破碎的樣子。」她說。

「好吧。」他也開始啜泣了。「好。有件事我一直沒告訴妳。」他說。接下來是長長的靜默，只有棉被窸窸窣窣的聲音。「我們還沒結婚時，我曾有個女兒。」

他聲音愈來愈小，微弱到我無法確定他還在說話，直到西西莉說：「我的天啊！」他們之間又出現新的一波啜泣。「你為什麼沒告訴我？這種事情。」

之後，要聽清楚他的聲音實在不容易，因為他的聲音只剩涕淚縱橫的低語。「蘿絲說……無法相信她……不想那麼想……心想可能會嚇到妳。」

我聽到西西莉的回應。「不論何時，不論何事，你都可以跟我說。所有事。」

鮑文，直覺行事的小東西，打了個嗝，然後一記尖聲的悲鳴，為他的眼淚揭開序幕。他知道有理由悲傷。

「萊茵？」西西莉喚著，她很厲害，聲音已聽不出有哭過，雖然空氣中瀰漫著緊張氣氛，兩人對談因我現身而中斷。

我步入暗暗的臥室，隱約能辨認單人床上兩人的身形。「他已經吃飽了。」我這麼說，算是解釋我的出現。

鮑文嗚咽著，西西莉傾身，我把鮑文抱給她時，她說了「謝謝」。

被裡。

「晚安。」我說。

「晚安。」她說，語氣輕快，不像是勉強擠出來的，然後她和丈夫、兒子一起蜷縮在棉

林登若無其事地打哈欠，說道：「祝好夢。」

如果我們還是夫妻，不知道他們會不會想讓我參與這起對話。不知道這些可怕的事情一開始會不會發生。

倒在圖書室的沙發床上，我馬上感覺自己進入沉睡，遇到壞事時我的反應總是如此。精疲力竭能撫慰人心，像一張厚毯，讓一切隱身又柔軟。走廊那一頭的鮑文正在哭，他的父母忘卻自己的眼淚，一心照顧他。我突然想到他們是一家人，就樣我曾經擁有的一樣真實，但那記憶太遙遠已模糊不清。

我一路睡到隔天下午。睜開眼睛時，牆上的鐘顯示時間是午後兩點多。

要不是外頭有引擎發動的噪音，我可能會睡得更晚。不用說，一定是里德試著要發動其中一輛老爺車。

沙發床旁邊的地上有個托盤，上頭放了一小杯褐黃色的液體和一碗上面有水果丁的果汁。林登在門口說：「抱歉，我知道妳早餐喜歡吃水果，但我伯伯很熱中把食物都做成罐

頭，除了幾顆斑斑點點的蘋果之外。」

我坐起來，揮開掉到臉上的頭髮。窗簾是拉下來的，不過我不確定昨晚是不是敞開的。

「沒關係，謝謝你。」我說。

他點頭，看了我好幾秒，然後盯著他的腳。

「我過來確定妳沒事，都已經下午了，但妳還沒起床。」他說。

「西西莉還好嗎？」我問。

「她在樓下修理收音機，剛剛她才差點想把收音機往牆上砸。」他說。

他強作笑容，我也揚揚嘴角。知道她又回復正常令我心安，反正她就盡量做自己吧。

林登看起來話還沒講完，但我想他在等我主動引導。我挪到沙發床一角，騰出空間，把我自己裹在刺刺的羊毛毯中。

他在沙發床的另一邊坐下，我們間隔一呎以上。他久久之後才開口。

「我欠妳一個道歉。」他說。他看著時鐘的神情，就像時鐘持槍指著他。「妳說的一切，都是顯而易見的事實，但我卻選擇不相信，想盡理由不去相信。」

我無法怪他不相信我，畢竟，婚姻生活中說謊的人多半是我。但我不想打斷他，尤其當這些話對他來說顯然很難啟齒的時候。

「我父親毫不關心妳的安危。身為我的妻子，當時妳應該覺得可以告訴我有人對妳產生威脅，但妳選擇瞞著我。我現在明白妳的出發點了，當時我並不會相信妳，就像我不相信蘿絲一樣。」提起蘿絲，讓他微微蹙眉。

「她也試圖跟我說我父親的事，她說她曾聽到我們女兒的哭聲，而……」他得暫時停頓。

他直直地看著我，我又一度覺得自己像蘿絲的鬼魂。他看著的，是蘿絲的秀髮、蘿絲的臉龐，想要向已故的她賠罪。「有部分的我相信她的話。她和妳很像：說話有憑有據，確定的事才會說出口。她也一向都是對的，但此事感覺太可怕，讓人很難相信。所以，聽到妳那麼說，那天下午妳在醫院醒來時從妳口中說出，有點像她的鬼魂回來找我。」

我的心都快從喉頭跳出來了，我屈膝抱胸，縮在毛毯裡，盡可能把自己縮到最小。

他說：「我對妳撒謊，其實，妳說的每一件事我都相信。我只是不願意承認而已。」

我溫柔地說：「你當然不想把你父親想成那樣的人，林登，我能瞭解……」

「拜託，讓我說完。」他說。我們四目交接，他凝視著我，努力甩掉蘿絲的影像，迫使自己接受事實，現在已無法對曾經誤會她而道歉。眼前只剩下我。

「妳告訴我西西莉處境危險時，我也不願意相信，自以為能夠保護她的安危。但那天晚上她失去了孩子，我……」他看著空空的雙手，「我卻無能為力。」

他一直保持語調平穩，說了這麼多，但現在他的雙手開始發抖，淚水蓄滿了眼眶。勇於面對需要多大的勇氣，講到蘿絲的時候他甚至能忍住不崩潰，但說到西西莉所受的苦，就超過他的極限了；對他而言，西西莉何其貴重。

「我當初應該聽妳的話。」他握緊拳頭。

我鬆開毛毯，趕緊靠到他身旁。我們肩並肩，頭靠頭，相互依偎著。

他說：「我很抱歉。」

「我也是。」

我們靜默了一會兒，我讓他整頓好心情，然後移開身體注視著他，問道：「但你確定嗎？你真的相信你剛剛所說的一切？」

「西西莉還是一口咬定我父親要負全責，她認為我父親知道胎兒的狀況，只是等著看她流產而死。當然，我父親一定會堅持西西莉不可理喻。」

「你父親對很多事看法都是錯的。」我說。他對親生兒子的看法是錯的。他告訴我，林登對我的單相思已變得激烈。但是林登有機會棄我於不顧——沒人會因此怪他——但他卻沒有這麼做。

林登說：「事情還是說不通，我不明白為什麼父親會想要傷害她。也許這是個天大的誤會。不過，我必須選邊站，而我決定站在西西莉這邊。她說了一大堆早先不敢告訴我的事情，她以為我會覺得遭到背叛，於是拋棄她。」昨晚我逐漸睡去時，可以聽到走廊那頭傳來他們低語的聲音，說不定他們根本沒睡。

「她不希望失去婚姻，那是她的全部。」我說。

「也是我的。我們聊了很久，同意彼此坦承，也許諾互相扶持，不論苦樂。」他說。

「那很好。」我說。

「所以，當她說我們應該幫助妳時，我同意了。」

「幫助我？」

「我們想幫妳找到哥哥，還有那名僕役。」他說。

「蓋布利歐。」

「對，蓋布利歐。」他看著大腿，然後抬頭看我。

我一時之間手足無措。我把雙手塞到膝蓋間，臉頰熱燙燙的，同時覺得想哭又想笑，但發現根本沒有力氣作任何反應。

「我知道我沒有權利探問你們之間是什麼關係，即使在註銷婚姻之前，我就知道期待妳對我傾注所有情感是錯誤的。」林登說。

「你沒有錯，我們那時是夫妻。」我說。

「那就是愚蠢。但我承認，自從你們一起消失那天，我就納悶你們之間有什麼。我納悶哪一點讓妳愛他而不愛我。」他說。

「不是像你想的那樣。」我說，我回得太快，聲音也太大。我逼迫自己直視他。「我不能丟下他不管。我愛重獲自由的想法，我也希望蓋布利歐獲得自由，而不是一直為人做牛做馬，直到生命盡頭。林登，我覺得人只透過白日夢和幾扇窗來看世界，是不對的。」

我想我傷到他了。他盯著我的肩，眼神卻沒聚焦，然後點點頭。

「那麼，他一直對妳很好？蓋布利歐？」他問。

「比我對他好。」我承認。

他的眼神還是越過我，嘴唇緊抿，看得出來承載著某些他欲言又止的沉重訊息。他想問我是否和蓋布利歐睡過。我想，打從我回來的那一刻，他就想問了，只是一直沒說出口。這個問題對他來說太直接了。

他清清喉嚨。「我之所以來此，是要告訴妳我依然願意幫助妳回家，就端看妳是否願意接受。這次我有計畫。」

「什麼計畫？」我問。

「我伯伯要修好其中一輛老爺車，車子經過他改裝，可以靠自製燃料來發動。這是他守口如瓶的祕密配方，所以實際有多可靠我不知道，但總比什麼都沒有來得好，對吧？我可以教妳開車。」林登說。

開車我已經會了，哥哥用他工作的載貨卡車教過我，但此時不宜讓林登覺得他不瞭解我的事再添一樁，所以我竭誠回應：「謝謝你。」

林登感受到此事給我帶來的希望。「這樣就會再延後一點妳啟程的時間，但長久看來是比較有效率的，不管實際上有沒有用，妳這樣上路我也比較安心。」他伸手要觸碰我的肩，但後來又改變心意，我感覺他實在太急著要脫身。但他注視著我，他站起身來，露出疲倦的微笑。「吃吧，願意的話待會兒梳洗一下，我猜伯伯需要妳到棚屋那幫忙。我有說要幫忙，但他說我應該專心於設計，而不是修理。我想，他對我小時候弄壞自製收音機的事，大概還耿耿於懷。」

「林登？」

他在門前轉身，面對我。

「我沒有。我知道你沒有開門見山地問，但是蓋布利歐和我——我們沒有做。」

他的表情沒有變，但是臉頰卻瞬間變紅。「等會兒樓下見。」他說。

他一離開，我就強迫自己把碗裡的東西全吃光。我毫無食慾，但深知身體極度需要。吃完後，我到生鏽的水龍頭下沖澡。我努力摒除想要在毛毯下倒頭大睡個三年的衝動。如果林登和西西莉在失去寶寶之後，都能努力故作鎮定，表現堅強，那我也可以。

下了一星期的雨後，天氣恢復晴朗。小草努力擺脫沉甸甸的雨滴，再度揚起頭來。陽光穿透棚屋的縫隙，和灰塵一起泅泳。處處都聞到花香與泥土味。

西西莉的傭人前幾天抵達了。我不確定林登跟他父親說了什麼，使他放棄對她的控制，允許她來和我們住，但當她踏出禮車時，看起來好端端的，只是安靜了點。

西西莉有時候會到戶外來，光著腳活動。過去，她一直都偏好裙裝和做工精緻的背心裙，好取悅我們的丈夫，但現在她穿著牛仔褲，褲管捲到膝蓋。她讓鮑文趴在地上，想要引誘他爬行，但鮑文只是一直抓了滿手泥土，舉手對著太陽，宛如獻祭。西西莉斷定鮑文一定是在膜拜他的祕密神明。

「他眼睛有好多顏色。」某天下午我在她身旁席地而坐時，她這麼說。「有時我會納悶是從哪裡遺傳來的。」她拔起一大撮草，灑在兒子身上，鮑文正用雙手撐地，努力想把自己往前推。

「妳和父母長得像嗎？」她問。

我屈膝抱胸。「有點像我母親，她眼珠是藍色的。」我說。

「不知道遺傳基因可以傳多少代，妳母親有藍眼珠，也許她母親也是，她奶奶也是。這個基因可能傳了幾千年才傳到妳身上。妳可能是最後一個有那種藍色色調的人。」她說。

我沒有告訴她我哥哥也有一模一樣的藍色，而他會活得比我久。不過隨著爆炸案等等事件的發展，不曉得他能不能活到我找到他的那一天。

我問她：「妳覺得身體怎麼樣？會冷嗎？我去幫妳拿件毛衣。」

她說：「不用，我現在覺得非常好。」

距離她出院已將近一週，她比以往更能自理。她堅持和我們在桌上一起用餐，婉拒林登端餐盤到她床榻的提議。她甚至開始打掃屋子，縱使沒有人要求她這麼做，而我從來不知道西西莉這麼會做家事。她把玻璃瓶擦亮，撢掉櫃子上的灰塵，用腳踢著濕布，擦過亞麻油地氈。她在收音機的天線上包裹錫箔紙，直到沙沙的背景噪音轉為音樂。她背下所有的曲子，在屋內走動時低聲輕吟，有時候我好像聽見她在睡夢裡唱歌。

此刻，她對我說：「妳應該快點動身，妳不會再變年輕了。」

她知道我一直在晃蕩。之前困在官邸，我一心一意只想回家。但現在我無家可歸，我害怕和羅恩重逢時會發現什麼不堪之事。我也怕根本找不到他。也許最讓我害怕的是，此刻和西西莉和林登一別，就會是永別了。

時間好似在里德這塊人跡罕至的土地上停滯，很奇妙地令人心安。

我抬手遮光，瞇眼看到林登在遠處。他掀開其中一輛車的罩布，然後和里德一邊講話，一邊對著車指指點點。

「所以那是我的代步工具。」我說。

「彷彿在看老照片。」她說，瞇起眼睛。

「我從不知道林登會開車。」我說。

「我也不知道，但我想他有在練習。」她說。

她一把把鮑文抱到腿上，鮑文眼眸裡映著雲朵和藍天。他伸手要摸我的頭髮，我抓起一綹讓他握。

「我以前會幻想，要是妳也有孩子該有多好，我是說，小寶寶。還有珍娜也是。」西西莉說。她看著里德鑽到車子底下，而林登在車蓋下弄著東西。「這不是我原先設想結婚一年後的景象，我還以為大家都會幸福快樂。很蠢，對吧？」

鮑文拉著我的頭髮，他的肌膚好柔細，黏在我的髮絲上。我說：「才不會，沒人能預期事情會轉變成這樣。」

「我做了什麼，萊茵？」她說。「我把一個孩子帶來人世間，只因為沃恩戶長說服我他可以拯救我們。但鮑文就和妳我一樣註定要死亡。」鮑文抓緊媽媽的襯衫，身體向後仰迎著陽光，完全無憂無慮。我曾聽過人類是唯一知道自己生命有限的物種，不曉得嬰兒知不知道？生命有限對鮑文來說根本也無關緊要？童年是一條長長的路，死亡的黑暗冷颯森林似乎是個遙不可及的目的地。「林登和我都離世後，誰要照顧他？」西西莉說。

我不知道怎麼回答。鮑文是失敗計畫下的產物，和我們一樣。我說：「妳和林登會想出辦法來的，事情沒有如妳所願，但其實本來就不可能事事如意。到目前為止你也有因應的方法，不是嗎？妳還會設法過下去的。」

她搖搖頭，說：「我恨那個人，他毀了一切。」她的眼裡閃過一道險惡的光，只停留了一會兒，但之後她整個人都不太一樣了。現在我知道：曾在我前面鼓動結婚禮服上的翅膀的新娘已經消失。她被騙過、被糟蹋過、到鬼門關走了一回，這些她都不會輕易原諒的。她會為了洩憤而奮戰下去。

「即使沃恩真的是想拯救我們，我們的婚姻也不可能永遠那樣繼續下去。」我說。

「我從來就不想永遠活下去，我只想要有足夠的時間。」她說。

第十章

「吃吧！」里德在桌子中央，重重放下一鍋肉汁類的東西。

西西莉伸長脖子往那鍋混濁灰黑的液體瞧，對著漂浮在鍋邊的正方體肉丁皺眉頭。「這東西的前世是什麼？」她問。

「鴿子和野兔，我親手獵的。」里德說。

「他是個神射手。」林登說。

「話說回來，鴿子可以吃嗎？」西西莉坐回自己的椅子，帶著嫌惡又好奇的表情。

「沒有什麼是不能吃的。」里德說著，舀了一杓到她的碗裡。和我一樣，西西莉也只吃遍布斑點的蘋果和能辨識標籤的罐頭水果與醃漬蔬菜。我們不像林登那麼勇敢，他總信誓旦旦說里德的大膽實驗「不算差」。

看得出來西西莉頗有意見，但她沒再說什麼，因為這是我們大家最後一次聚在一起用餐，明天早晨我就要動身。我已決定先回到紐約尋找蓋布利歐，只能暗自希望他還和克萊兒在一起。我很思念他，每次林登和西西莉深情對望，或在緊閉的門扉後低語，我就想到蓋布利歐。因為眼前的一切都一再提醒我，我已經不是他們的一份子了。我不屬於這裡。

我的人生拼圖，似乎永遠無法湊齊。

用餐時沒有人說話。里德把工作帶上晚餐餐桌，看起來是某種小型的電子裝置，會嘶嘶作響，噴出火花。

林登安靜地啜飲著灰色液體。我用湯匙沿著碗的內緣攪動。

西西莉離開餐桌，幾分鐘後拿了收音機過來，但靜電干擾的高分貝尖聲持續不斷，伴隨陣陣模糊不清的人聲。

「妳一定得把那東西帶上餐桌嗎？」林登說。

「這個嘛，你伯伯還拿那個……東西咧。」她指著里德手中的工作。「我只想要來點音樂佐餐，就這麼簡單。」

林登皺眉，但話就此打住。他知道哪些事可以和西西莉吵，而自從西西莉與死神擦肩而過後，他也比較能體諒。於是他忍受那刺耳的噪音。

終於，她調到了一個勉強能聽的頻道，不過傳出的不是音樂，比較像是新聞報導。在我出生前好久，有許多電臺是純粹播音樂的，但多年來，已不見新的歌曲推出，唯一播放的音樂是新聞之間的過場曲，曲調輕快，內容無聊，我覺得一點意義都沒有。但西西莉很喜歡，她什麼都能跟著哼唱。

她前後搖動天線，調到聲音最清晰為止。「說不定等一下就會有音樂了。」她說。

「我不這麼認為，小鬼。」里德說。「這個傢伙我聽過，他在自家主持自己的電臺。」

西西莉皺眉，伸手要旋轉選臺鈕，但林登說：「等等。妳有沒有聽到？」

「聽到什麼？」她說。聲音又轉為靜電干擾了，她重新調整包在天線上的鋁箔。聲音傳出來，要和我們連上線。那些字詞一開始出現時，對我根本毫無意義，那是一輩子都環繞在我耳邊的字詞。「基因」、「病毒」、「希望」等字，變得像是背景雜音，畢竟以前我父母傍晚都在聽這類廣播。

我舀了一匙灰色液體，刻意不要撈到那些肉丁。味道還不錯。

「聽！」林登說。西西莉把手從天線上拿開，靜電干擾慢慢減弱，說話聲傳出。

她一臉失望。「還是同一個人啊。」

林登倒是很專心聽。

「所謂的醫生已經對此研究多年。」收音機傳來人聲。

另一個聲音回應。「艾勒里夫婦的研究，在最近多起的恐怖爆炸案之後，已在醫生與激進份子間形成一股追隨風潮。他們的研究，如大家所知，因兩人在恐怖攻擊中喪生而中斷了，和其他研究一起消失在塵土中。」

我吃下去的那一小口瞬間變得像千金重，沉甸甸地堵在胃裡。我身體發冷，一陣麻痺使我的判斷力混亂，我心想：那絕不是我熟悉的艾勒里夫婦。這些陌生的聲音怎麼可能知道我父母的事？他們都過世多年了。身為科學家兼醫生的他們，一輩子都在找尋解藥，但和沃恩這種全國知名的醫生比起來，他們只是小咖。

喔，但是廣播的人也知道沃恩。「即使像艾許比醫生這樣受人尊崇的專家，也引用了艾勒里夫婦對於雙胞胎的研究。艾許比醫生推論，艾勒里夫婦的孩子，那對雙胞胎，大概也是研究的一部分。」

「如果雙胞胎當真存在的話。他們也許只是隱喻。」另一個聲音說。

西西莉正拉著從她馬尾掉下來的一撮頭髮，隨著收音機傳出的內容愈來愈奇怪，我敢說她盯著我看的眼睛愈張愈大。

「艾許比醫師基本上在修改艾勒里夫婦的理論，也就是病毒能以和疫苗相似的方式複製。給予小劑量病毒，就可以建立起免疫系統，讓受害者有抗體。」

電臺的兩人進行熱烈討論，靜電持續干擾，林登一再調整鋁箔，極力讓聲音傳出。但這一切都不重要，因為我再也聽不進去，我腦袋裡充滿雜音，根本無法專心。房裡的溫度感覺升高了一倍，天花板上懸吊的燈泡搖晃個不停，製造出許多影子。我以前怎麼都沒發現這些影子？

「領導這些攻擊行動中的其中一名恐怖份子，宣稱自己是艾勒里家唯一倖存的雙胞胎，又該怎麼說？他說的很有可能是事實。」

「有多少激進份子曾宣稱自己是某些實驗的產物？前提是艾勒里夫婦的研究不是空穴來風的現代傳說。」另一個聲音反駁。「艾勒里夫婦經營那些托育中心，當作他們所謂『化學花園』計畫的一部分，這些托兒所同時也是研究實驗室。如果他們的孩子真的存在，也大概和其他受試者一起喪生了。艾勒里夫婦現在又開始受到注意，只因為這名自稱他們兒子的恐怖份子。」

雜音蓋住了對談者的聲音，直到訪談結束。

大家都朝著我看，眼神投向我，但我無法面對他們。

胃裡沉甸甸的感覺已經湧到胸口，讓我難以呼吸。我得到戶外去，有微風、星星、沒有牆壁的戶外。在察覺自己站起來之前，其實我已經在移動了。

我搖搖晃晃走到門廊，因為頭暈目眩，一屁股坐在最上層階梯，想要穩住呼吸。我腦袋裡思緒繚繞，沒有一個是清楚的。我從來沒想過會再次聽到父母的名字，更不用說內容和我的前公公有關。他們的確有基因研究的共同背景，但是沃恩是個狂人啊，我父母只想矯正現狀，不是嗎？

電臺的那些人，怎麼會知道我和我哥的事情呢？

羅恩說他是我們家唯一倖存的成員？

病毒可以被複製，是什麼理論？「化學花園」又是什麼？

這些問題彷彿烏漆麼黑一塊塊，像拼圖一樣，我看不清，也想不透。

而且為什麼？我掌握了什麼答案？我哥和我，顯然是著名的艾勒里雙胞胎，並不是個毫無憑據的現代傳說。我們存在。但是我們並未握有提供解藥的關鍵，連一絲指望都沒有。

背後的紗門碰地一聲關上，我縮了縮身體。

里德沉重的腳步讓前廊的木板嘎吱作響。他從來不脫靴子，晚上也一樣，好像隨時準備好要跑路。他和從前我家鄉的人其實沒那麼不同，那是迥異於官邸提供的舒適生活。他和我哥和我也沒那麼不同。

他在我身旁坐下，渾身散發雪茄菸味，雖然這幾小時內他並沒有抽。只要鮑文呼吸的氧氣附近傳來一絲菸味，西西莉就會大發雷霆。里德說菸味對人體完全無害，過去會引發的小病，現在早已不復存在，孩子不會因為一點小咳就死掉。這樣的反駁只是火上加油，讓西西莉更怒。

「妳真的有麻煩了，是不是，寶貝？」里德說。

我縮起膝蓋，抵住胸口，聲音微弱，斷斷續續。「這一切我完全不瞭解。」我可以聽到廚房裡沙沙的雜音，林登和西西莉努力調頻道，要轉回原本的電臺。

「我弟弟知道艾勒里夫婦是妳父母嗎？」里德的表情嚴肅得令人不安。

這個想法令我不知所措。我從家裡被擄走已經夠糟了，但我不是採花賊隨機的受害者，而是被鎖定的特定目標？這讓沃恩的瘋狂有了新的詮釋。從我出生以來，他可能一直都在找我。

不，不，不可能是那樣。就像電臺的人說的那樣，有很多的科學家，很多的理論。我父母並沒有開闢出什麼新局。沃恩以前一定沒聽說過他們，現在知道只因我哥公開宣稱自己的作為，並宣布自己是雙胞胎的唯一倖存者。

我哥哥，和我長相一模一樣，絕對不可能認錯。他的眼睛也有虹膜異色症，和我一模一樣。沃恩只要看過他，就一定知道我們是親人。

「我不知道。」我有氣無力地說。「如果沃恩真的知道，他也會追捕我哥。」

我震驚到無法處理這些訊息，震驚到連哭都哭不出來，雖然眼睛開始疼痛，雙腿也在顫抖。

「不管怎麼樣，妳在這裡是安全的。」里德說。

「是嗎？還是沃恩只是讓我這麼以為，實際卻在策劃他的下一步？」我說。

「他永遠都進不了我的門。」里德說。我很想放心信任他，就像他靴子從來不離身一樣，他皮帶上的槍套也永遠插著手槍。但沃恩也有他的一套。他悄然出現，從不厲聲說話，從未使用過武器，但幾乎每一次都占上風。

收音機裡陌生的新聲音傳來，西西莉把那東西提出來門廊這裡，她的表情既莊嚴又憐憫。「我們調不回那個電臺了，但是這個頻道有新聞播報。昨天又有一起爆炸事件，那些人在討論的就是此事。」

林登跟在她背後，眉頭緊鎖。「把那東西拿回去裡面好嗎？親愛的。讓她清靜一下。」

「她必須聽這則新聞。」西西莉堅持。她用雙手抱著收音機，像是拿著祭品一樣。新聞正在播報一則駭人的消息。

「昨日在南卡羅萊納州查爾斯頓的爆炸案，證實已有十四人死亡，至少五人受傷。」事發地點和姨娘的瘋狂嘉年華在同一州，這當然對新聞播報員沒有任何意義，播報持續下去。「炸彈客三人組對其行動完全不假掩飾，雖然他們尚未公布下個目標，卻已鼓動了群眾結集，且公然在鏡頭前對其行動侃侃而談。」

我的頭痛了起來，很尖銳的痛楚，就像風箏線套在我的腦上，用力往播報員的方向拉扯。我知道即將聽到許久以來未聽到的聲音。失落已久的簡單東西，炙燒著我內心深處的某一塊。

那是我哥哥的聲音。

他語氣激動，對著群眾大喊。捕捉聲音的錄音機淹沒在喝采、奚落的人聲裡，沙沙的響聲，紀錄了風呼嘯而過的聲音。但羅恩是這場嘈雜喧囂中的大師。我全神貫注聽著我哥的聲音，想像他站在高處，我聽到他說：「……研究沒有意義。所有試圖找到解藥的瘋狂行徑，對我們來說，比病毒本身更危險。這些行徑害人喪命，害死了我妹妹。」他說到最後兩字的音調非常絕望，那兩個象徵我的字。「這些行徑已經太過分，必須終止！」

這條新聞結束，他也不見了。

我發出了一個聲音，像是噎到，又像是嗚咽。

現在，一切水落石出。他以為我已經死了。他已經對我不抱希望了。

「萊茵？」林登擠過里德，蹲在我面前的階梯上。他把我臉龐兩側的頭髮撥開，捧著我的臉。他的眼睛搜尋著我的目光，像是在檢查花瓶的裂痕和細縫。

「那是我哥。」我終於說出口。我聲音很勉強，好像我只有在吸氣，或許真是如此，我無從判斷，因為從來沒有這種感覺。以前被丟進採花賊的廂型車裡時，腎上腺素上升，恐懼攀升，然後和蓋布利歐躲在卡車後面也是如此，但在黑暗中這些都逐漸化成一種不舒服的感覺。隨之而來的是擬對策。我要理性思考，保持鎮靜。我被俘虜了。我要逃跑。我要回家，我哥和我家都會等著我。但我哥把我們家炸了一個洞，他把自己也炸了個洞，還有他伸手所及的一切。

「妳必須呼吸。」林登輕聲說。他總是悉心照顧著我，即使我曾傷害過他。他周圍閃著亮點，就像有人把星星從毯子上抖下來，而現在星星四處飛揚。

「這是我的錯，我們原本應該要守護彼此，但我離開了他。現在他走了，我永遠都找不回他了。」我說。

「妳當然可以找回他。」林登說。

里德出聲：「我認識其中一個主持電臺的傢伙，我可以帶妳去找他。說不定他知道些什麼。」

林登挪動身體，在里德和我中間坐下，問：「安全嗎？他聽起來像個瘋子。」

「林登，你一路被呵護長大，什麼事都覺得危險。」里德說。

西西莉說：「妳必須和他談，妳必須找出化學花園的祕密。說不定妳父母知道什麼內幕，萊茵。說不定解藥真的存在，說不定和妳和妳哥有關。妳有責任找出真相。」她話裡帶著的希望，讓我難以消受。

林登厲聲說：「西西莉，現在不是要求別人的時候。可以請妳表現得更體貼一點嗎？」

她說：「體貼？體貼！我懷兒子的時候，你告訴我，他是我的任務。你說：『難道妳看不出這有多重要？』告訴你，我知道！也許這是個死胡同，誰知道？但我們得去找答案。我把鮑文帶到這個世界，心想他有機會存活。如果有一線希望，我絕對不會坐以待斃。」

現在大家的視線都投向她。月光下的她似乎沒那麼嬌小了，悲劇造就她的剛強。但是，我看到她手上捧著目前已無聲響的收音機正在顫動，她的下巴緊閉。不論西西莉變得多麼實際，一想到有機會救鮑文，她內心有部分就會燃起希望。即使我們都知道希望無濟於事，我又有什麼權力去奪走她的希望？

林登開口要說話，但是我把手放在他的臂膀上。「西西莉說的沒錯，我們必須跟他談。」我說。

「妳確定？」林登說。

他的憐憫、里德的憐憫和西西莉的熱切，加在一起已難以承受。我別過頭去，看著因強風而被吹彎的長草。

「對。現在我可以一個人靜一靜嗎？」

里德馬上起身。「戲散場了，孩子們。」他說著，把林登和西西莉趕進屋裡去。樓上的窗戶是開的，幾分鐘之後，我聽到鮑文開始哭泣，西西莉哼著歌哄他。林登問她把手提箱擺哪兒去了，她說在床底下。

他們全都會死，死得太早。我希望自己能成為拯救眾生的解藥，但我辦不到。

我睡著了，但我的夢就像鮮明的幻覺，沃恩趁西西莉與林登在五呎外的床上熟睡時，伸手入搖籃，攫走鮑文。然後沃恩步入月色中，突然間他不是沃恩，而是我哥。

我睜開眼睛，心狂跳。我不會再闔眼了。我從沙發床起身，走到敞開的窗邊。一切是那麼靜止，如果我不看背後，如果我只凝望地平線，我會以為天與地交界的那條線是世界的盡頭。在靜謐之中，我以為聽到了父親對我大聲說了些什麼。

母親說我有不同的力量，所以我必須守護哥哥。但或許她也不如自己想像中懂我，因為當我哥開始進行恐怖革命、到處放火時，我還在奮力掙扎要穩住呼吸。用任何人的標準來看，我不算堅強，遠不及我哥的標準。

我們八歲時，發現一顆墜落的星。

其實不是星星，我猜只是一塊金屬，碰巧在起風的夜晚被吹到我家院子裡。但在清晨我們甫見到時，那東西的邊緣因某種特殊的角度反射了日出的光芒，看起來像著火一樣。我們穿著睡衣跑出去，每跑一步，火光就消退一些，最後，我們眼前所見只是一塊變形的金屬。父親跟在我們後面跑出來，警告我們不要碰，他說可能有危險，我知道他說的沒錯。我看到鋸齒狀的邊緣和鏽斑，知道當中的深黑裂縫不懷好意。然而，我希望認為這東西有其特殊之處。

我哥用腳悄悄碰了一下，幾乎是一瞬間，我看到紅色在他的白襪上迅速蔓延。他沒有動，只是看著血跡慢慢擴大，直到父親一把抓起他帶進屋內。接著，我記得他坐在廚房的中島上，母親趕忙用濕的洗碗布和消毒劑輕撫他的腳，消毒劑碰到皮膚時，發出嘶嘶和劈啪聲。

我記得往外看著院子裡的金屬星，看到割傷我哥的那一邊留著血痕。我覺得被背叛，這麼漂亮眩目的東西，竟然傷害了我哥哥。

他的腳包紮好後他對我說：「沒事的，那可能是炸彈的碎片，本來就是設計來傷害人的。」

他對整件事處之泰然，那是最後一次我見到他受傷。他很早就瞭解戰爭的手法。接近武器、出於好奇而碰觸永遠都沒有用。他必須瞭解武器的功能，並找出利用的方式。

也許他一直都有這個傾向。也許我們父母的死，讓他視病毒與找解藥的所有企圖為敵，也許我是讓他保持溫和的唯一因素。也許我母親告訴我們，要永遠相守不離，真的有其道理。

我把手肘擱在窗框上，細細思量這個想法。

想得深了，難免痛苦，我從里德的圖書中尋求喘息。有關美國歷史的書還不錯，但里德不收這類書，他自有一套蠢理論。他說第一代出生前不久，歷史曾遭竄改，他說我們不能相信任何接收到的資訊。他的陰謀論給了我許多慰藉，我喜歡有關里德的一切，和他古怪的小世界。

字典剛好率先被我抓下來，我拿回沙發床上，展讀第一頁，從字母A開始。每遇到一個沒機會用過的字，我就用氣音大聲唸出，至少要在這輩子裡說一次。

讀了兩頁A開頭的字後，門開了一條縫，西西莉往裡面瞧。她現在比較知道怎麼避開會嘎吱作響的地板了，所以我沒聽到她走過來。

「我看到燈亮著，作惡夢？」她溫柔地說。

知我者莫若西西莉。「心事重重。」我說。

「想談談嗎？」她說。「我可以泡點茶。」雖然她對里德的詭異菜單極盡嘲諷，但對他的自製茶可是讚不絕口。里德的香草都是栽種在罐子和紙盒裡的。

但不管有沒有茶，我都不想談心事，要把思緒釐清已經相當累人。我給了西西莉許多希望，等到她發現一切都是虛假時，她會多絕望，想到此我就心痛。我說：「暫時不要，不過還是謝謝妳。」

她眉頭緊蹙，但並沒有逾越界線，這是官邸生活的老習慣。家裡規定，我們未徵詢彼此同意前，不得進入對方的臥房。沒有人動念要打破規定，因為每個人都有自己遵守規定的理由。「妳在生我的氣。」

「我沒有。」我說，把字典闔上。「真的，我沒生氣。妳說的話是有道理的。」

「我應該更委婉一點。」她羞慚地喃喃自語：「只要和鮑文有關，我就忍不住，我心都慌了，覺得沒半點時間可浪費。」

她愛她的孩子，就像我父母愛我一樣，這個想法好怪，因為她是這麼年輕，而我父母年紀大了許多，也比較有心理準備。

現在我看著她，真正凝望著她，清楚可見她睡袍上半圓形的溢乳痕跡。那必定是從失去胎兒後開始的，因為鮑文已經喝了好一陣子配方奶了。西西莉來這裡之前，還在手提箱裡塞了滿滿的罐裝奶粉。她的雙眼下方眼袋浮腫，不知道過去這幾天她為什麼能這麼活力充沛，在屋裡轉來轉去，高聲唱歌，重複哼唱旋律。現在我明白了，她還是一如往常地悲傷，只不過依然要歌唱。

我站起來，她問：「妳要去哪裡？」

「廚房。我改變主意，想喝茶了。」

我們躡手躡腳地下樓。暗無燈光。里德的打呼聲蓋過我不小心踩響木板的吱嘎聲。他在扶手椅上沉睡，手擱在槍柄上。我想，他說不會讓沃恩踏進門口一步是認真的。我們悄悄走過他旁邊時，他咕噥了幾聲。

愛兒睡在他對面的沙發上，我們經過她時，她動了一下，我懷疑她沒有睡著。她被訓練到只要鮑文有個動靜，她就會驚醒。

我們把茶端回樓上的圖書室，我還以為大概是不可能再睡了，但鮑文的笑聲使我驚醒，我張開眼睛才發現已經天亮了。我的頭枕在西西莉的肩膀上，她摟著沙發的扶手，我則倒臥在她身上，我們的身體就像兩枚倒塌的骨牌。我們身上蓋著一條毯子，不知道是不是林登半夜醒來，注意到西西莉不在那張局促的單人床上，才發現我們在一起。

「早安。」林登輕聲說。他抱著鮑文，鮑文呆望遠方。「抱歉把妳吵起來，但里德伯伯說我們應該上路了。」

彷彿相呼應似地，外頭的引擎正轟隆發動。啟動車子的最初幾次嘗試都失敗。西西莉對噪音抱怨了幾句難聽的話，又把臉埋入手臂裡，想要繼續睡。

林登抱著鮑文走到窗前，鮑文靠著窗玻璃好近，吐出的氣息都讓玻璃起霧了。外頭有陽光與鳥鳴，在在吸引著他。林登的笑容帶有一絲悲傷，似乎表示他知道兒子的快樂都是假象，總有一天會消失無蹤。林登愛兒子，無庸置疑，但他無法展現西西莉散發的情感。經歷過失去之後，前方等待著他的，都是死亡與道別的承諾。他無法再敞開心胸。

他只對兒子說了一個字，向日光頷首。「看。」

這是個動人的字。是份禮物。

鮑文放眼看去，這一刻，他所見的所有事物都很美好。

第十一章

以前的人，時時刻刻都彼此聯繫，父母是這麼告訴我的。每個人都有手機和電腦，每個人都會打電話保持聯絡。以前什麼都有，現在這些東西幾乎無人記得，對我來說毫無意義。我想，那樣的世界感覺一定比較小吧。大家要是離開家，就會用電話聯絡。沒有哥哥會擔心妹妹是不是死掉了這種事。

而現在，我們僅存古老的天線和廣播訊號。我知道土地不如以前廣袤，但沒有了聯繫的方式，世界似乎大得不可思議。我覺得自己總是在奔跑，而哥哥總是領先太多。我呼喊，但他聽不見，甚至根本沒在聽我的聲音。

白晝降臨，我準備要去見某個人，他有見解，也有廣播訊號，但卻是另一條死路。我像對待垂死動物的微弱脈搏，小心翼翼地呵護希望。

「我可以開車嗎？」西西莉問。她坐在里德車子的副駕駛座，手指在旋鈕和按鍵上逡巡。

「不行，不安全。」與我一起坐在後座的林登回答。

「我沒問你。」她說，完全不把林登放在眼裡。

「他說得沒錯，孩子。」里德說著，拉起排檔桿。「妳不適合開車。但那個旋鈕是轉廣播頻道的，說不定可以調出什麼。」

這沒讓她安靜多久，因為車子一開，就完全收不到任何頻道的訊號。當在雜音中依稀可聞人聲的時候，我就會一陣揪心，又是恐懼又是期盼，但什麼消息都沒有。不再有我哥的消息了，完全沒有生命的跡象。

愛兒嬌小又安靜，抱著鮑文坐在我旁邊的位置。鮑文出生之際，她是個活潑又勤快的人，但現在卻籠罩在陰鬱中。照在她蜂蜜色頭髮上的陽光，完全無法把她從烏雲罩頂中解放出來。說不定沃恩對她做了什麼，不曉得她是否知道沃恩對狄德麗的行徑，而我仍參不透那些事的虛實。然後，我不解的思緒回到那個陰暗、痛苦之處，在那裡的愛兒，是個應該在編織雛菊花冠的年輕女孩，做著白日夢過日子。

現在，我們連過日子都不可得。

車子行駛在漫長又荒涼的鄉間小路上，里德完全不管停止標誌，廢棄的交通號誌像空洞的眼窩一樣盯著我們。田地荒蕪，雜草蔓生。我們經過一座小鎮，房子亂無章法地用金屬板修補，林登越過我的肩膀盯著那些屋子瞧。他在富饒的小鎮成長，我不認為他能夠想像有人的住家環境是如此惡劣。不知道他父親為他粉飾妝點的世界是什麼樣子，我打賭一定都是豪宅與全像投影，兩者之間是大片空白。什麼都沒有。虛無。

不過，他似乎並不訝異，只是悲傷，自從西西莉流產以來，他就變得對世事冷淡麻木。我想他開始瞭解了，而瞭解是件可怕的事。

看到林登握拳，我想讓世界變得不同，讓他好過一些。我希望成為不存在的解藥，但我什麼都不是。我甚至無法鼓起勇氣說些安慰的話。

我們抵達另一棟房子，和里德家一樣與世隔絕。雞群咯咯叫，漫步在鐵絲圈限的範圍裡，里德將引擎熄火時，引起一陣噗噗咕嚕聲，讓雞群不斷拍打著翅膀。旁邊的告示牌上，廣告著新鮮雞蛋一打二十元，打好的奶油一杯亦是同樣售價。這個價格很誇張，但並非不常見。我哥和我在曼哈頓時，若跟小販討價還價、保證下回繼續光顧，就可以付比這個價格稍微低一點的金額。

西西莉一馬當先下了車。

我看著她的眼神充滿愧疚，林登都看在眼裡。他靜靜地說：「不要緊的，她遲早都要瞭解的。」

何時？三年後，當她看著丈夫過世時？當她自己也即將死去之時？

我們費力地走過雜草高長的地面，我看著前頭兩步之遙的愛兒，矯健地踩在半埋於雜草中的踏腳石上。

這棟房子雖然在人跡罕至之處，卻從小地方看出有所維護。房子有紅色的百葉窗，窗臺花盆種滿了紫藤花。西西莉手放胸口，說著：「喔，林登，你看，好像你畫給我的房子。」

林登都在畫房子給她。我極力壓制這股沒來由的嫉妒，繼續往前走。

「小心腳步，木頭看起來都腐蝕了。」我們走到門廊前時里德說。

愛兒馬上護住鮑文，把他的頭壓近胸口，但鮑文嗚咽反抗，他想越過愛兒的肩膀看長草中的晨光。

里德敲門，門是用焊接起來的金屬製成。西西莉突然很不安。她說：「這個人你認識，對吧？我是說，不只是知道而已，而是真的認識他？」

「他不會害人的。」里德說。

林登站得離西西莉比較近，但我們聽到屋裡有人走動的聲音時，她伸手握住的是我的手。雖然她樂於當林登的老婆，但被採花賊擄走的痛苦經驗始終不曾消失。她知道沒人要的女孩會被迫擠在黑暗的廂型車中，然後遭到槍殺。和我一樣，她害怕陰暗之處，害怕陌生人。有時候，當我們站在一扇陌生的門前，不知道另一頭有什麼在等著時，我們才知道自己有多恐懼。

門被開了條縫，只夠讓我們看到一雙眼睛對著我們眨。

那人說：「里德？怎麼這麼大陣仗？」

「我帶我侄子來。」里德說著，雙手輕拍林登肩頭。「女孩們是跟著他的，他到哪裡女孩就相隨。可憐的男孩因為家世太好而吃足苦頭。」

林登憂鬱小生的形象破功了，現在一臉窘樣。他正看著樓梯的扶杆。

「你們太多人了。」那人說。

「噢，拜託，埃德加，別傻了。如果我們全都帶錫箔帽，你會覺得比較好嗎？」里德說。

埃德加的雙眼睛上下打量林登，說：「你父親是常出現在新聞裡的那個醫師。」

林登沒有辯解的餘地。他對父親的瞭解，似乎比世界上其他人更少。

我還沒意識到西西莉鬆開我的手，她就已經一個箭步衝上前，把鮑文從愛兒的手裡抱過來。「沒錯。」她氣急敗壞地說。「是的，他父親就是常出現在新聞的那個醫生。而這是我們的兒子。」她大膽往前靠近那雙眼睛，鮑文跨坐在她身側。「他會死。但你本來就知道，我們聽過你的廣播，你談的淨是解藥和理論。嗯，我們想找解藥就是為了他。」

她微微顫抖，林登站在她背後，一手摸著鮑文的鬈髮，一手搭在她肩上。

門碰地一聲關上。

門閂吱嘎作響，門再次打開，這次開的角度夠大，可以一窺室內景象。

雖然是光天化日，室內卻沒有陽光照進來。窗戶都塗黑了，天花板四周都吊滿了燈泡，彷彿團團星斗。

埃德加人很高，長手長腳很結實，但有個大圓肚，法蘭絨襯衫的釦子繃得緊緊的。他的眼神深邃，骨碌碌地轉。

他對西西莉說：「我有槍，我才不管妳是個小女孩。不要輕舉妄動，你們全都給我站住。」

我們全轉頭戒慎恐懼地看著里德，他揮揮手表示沒事。在這樣的威脅之下，他的表現是異常冷靜的，之前他保護我對抗沃恩也不是這樣的。我忽然想到，里德可算是天不怕地不怕，但恐怕也畏懼他的弟弟。

鮑文又回到愛兒的臂彎裡，她摺了一片長草給他玩，讓他有事做。最近他老是要抓東西。

在室內，燈光讓一切都溫暖起來，灑了滿室淡淡的黃橙。牆上都是書架。「什麼都不准碰。」埃德加再度聲明。反正我也不知該從何下手。地板上數條電線橫越，拉進另一個房間，所有電線集結在內，像叢林藤蔓一樣覆蓋了桌面。房間牆壁上有電視機，畫面閃爍，播放著畫質顆粒過大的新聞，好像我們需要另一樣東西來提醒自己這世界有多蕭條。

我開始揣想林登畫給西西莉的是怎樣的房子，不知道裡面有什麼，有時候他會讓你從窗戶偷窺一下。不知道他是不是想為西西莉蓋房子，供他們倆居住。不知道當他把圖放在西西莉掌心時，她能不能感受到房子躍然於紙上。不知道有沒有人能像我一樣欣賞他的房子。

「你知道我一向不喜歡訪客。」埃德加抱怨。他的聲音和我昨晚在廣播裡聽的，相去甚遠，廣播裡的他振振有詞、滔滔不絕地說著關於我父母的事。現在的他似乎輕率浮躁。

「儘管你是個天才，卻對眼前事物視而不見，你有好好看一下面前的人嗎？」里德說。

埃德加眼神穿過我們，完全沒注意我們任何一個人，他似乎比較擔心私人物品損壞或遭竊。

里德抓住我的下巴，手指掐著我的雙頰，硬把我的臉轉向燈光下。他說：「她的眼睛，看看她的眼睛。」

林登全身緊繃，好像要上前救我。我希望他出手，我覺得被迫赤裸裸的，就好像和採花賊擄走的女孩們在路旁排排站一樣。

埃德加仔細端詳我的眼睛。里德放開手，我一動也不動地維持原姿勢。最好趕快把一切了結，最好證明一眼藍色、一眼褐色並不代表什麼。不管你瞳孔是什麼顏色，看出去的世界都一樣。

埃德加往前察看我的眼睛時絆了一跤，有東西掉出來摔在地上喀達一聲。他似乎不在乎，我的雙眼已將他催眠。

「你在想我和那男孩很像吧？」我說，覺得自己遭到輕視，但又勇敢面對。「你在新聞裡看到的那個炸醫院和實驗室的恐怖份子，對吧？我和他很像吧？」

透過眼角餘光，我看到西西莉皺著眉頭。她終於明白，因為她的希望和絕望，我才遭受這般的折磨。她明白了我有多麼痛。

「沒錯。」埃德加說。他大笑。那是狂人一本正經的笑。或許是鬆了一口氣的笑。「沒錯，妳就是死掉的那個。」

里德以為我是蘿絲的鬼魂；我哥以為我死了；而現在，埃德加也這麼說。蓋布利歐，不管他身處何處，大概也以為我死了。很快地，我自己也會信以為真。

但里德說：「她活生生地就在你眼前。她有問題要問你。」

埃德加從神祕莫測的表情，又變回防衛心十足的樣子。「這是什麼惡作劇嗎？」

「你知道關於我父母的事，至少你在廣播裡是這麼說的。你說大家對他們，也就是艾勒里夫婦的研究不陌生。」我說。

埃德加再次說：「妳應該已經死了，新聞裡的男孩是這麼說的。」

「那是我哥。」我說，訝異自己的音調竟能如此平靜，訝異所有的悲傷與震驚程度高到我無法確認。「我一年多前失蹤的，我沒有辦法聯絡到他，所以他才這麼認為……」

埃德加打岔，「不對，不是這樣。他說妳是因為實驗出錯而喪命的。」

我的胃一沉。「什麼？」

「所以他現在才當炸彈客。他反對那些研究單位。」

「那就不可能是萊茵的哥哥，你在廣播裡說有人冒名頂替，對不對？有人宣稱自己是受試的那批孩童？」林登說。

「要知道真相，只有一個法子。」埃德加說。他帶我們進入一個房間，我覺得五臟六腑都被掏空了，心臟在一個空蕩蕩的黑暗空間裡跳動，我覺得快吐了。

我看到安裝在牆上的電視，知道是怎麼回事。當我確定已用盡最後一點力氣，就快要昏倒之際，林登和西西莉分別抓住我的左右手。

埃德加翻找著紙盒裡的一堆光碟片。

他找到那張光碟片後，就放入播放器中。

我身體一陣熱，然後又感覺冷，熱，然後冷。

螢幕出現雜訊，接著畫面帶出一群人。這是業餘的掌鏡技巧，在全國新聞其實並不罕見。相機在手，敢冒生命危險錄一段新聞畫面，就可以兜售到好價錢。

我想這和昨晚在廣播聽到的是同一段影片。相機在調整時，畫面中人群身影模糊失焦。對焦之後，我看到群眾不如我想像中的多。看起來像是第二代，從幼兒到沒幾年可活的都有。遠處站著兩個身影，並非我想像中的站在高臺上，而是站在倒扣的木箱上。我看到他們背後的大海，此處必定離海岸不遠。我憤恨地想著，幾個月前，蓋布利歐和我不知道曾離我哥多近。

我一眼就認出哥哥。他身旁站著一個女孩，我沒見過。她狂野的黑髮披散，還有一雙黑色的眸子。他們渾身都抹上了泥土。

不對，不是泥土。而是灰。

那女孩看起來狂野而危險，我發覺羅恩亦然。這是我離開所造成的。失去父母奪走了他的希望，而失去我，奪走了他的理智。

群眾認識他；他們呼喚著他的名字，要他發言。

接著他冷靜、有條不紊地開始述說他的故事。從前從前，他是個眼神閃著慧黠的小孩，卻愚蠢地妄想世界會被拯救。他有父母和妹妹。他的父母試著要拯救世界，卻在爆炸中喪生，類似今日他和夥伴主導的那些爆炸案。所以，他接著問群眾，他帶走別人父母的生命有錯嗎？對這些建築物放火有錯嗎？

群眾鴉雀無聲，等著他的回答，因為這位私刑正義的戰士，聲音裡的惡意已不復見。他看起來就是個痛苦而又脆弱的血肉之軀。

他說：「我沒錯。很久很久以前，或許不對。但這是個是非不分的世界，是某人認為的完美世界，而當完美沒有成真，這個世界就被遺棄，任憑我們自生自滅。

「至於我妹妹，她和我相反。我努力要讓兩人活下去時，她卻在一座無生命的花園裡，想辦法讓死去的東西盛開。我不能苟同，但我轉念一想：『又有什麼害處呢？何不就讓她假裝下去呢？』」

站在他身旁的女孩搓搓他的手臂，這故事她以前聽過了，聽出他聲音中的躊躇。

他不予理會。

「因為我讓她假裝，於是，她對於這個污穢世界幻想出的信心與日俱增。她背著我簽下了實驗手術書。她因為起死回生的承諾，而被引誘到某個湊合出來的陽春實驗室。」現在，他的語氣完全聽不出情緒，彷彿朗讀課文一般。「首先，她的心臟開始顫動，接著喉頭腫大無法呼吸，眼窩開始出血。而經歷痛苦難耐的數分鐘、等她斷氣之後呢？她的身體遭到解剖，以作更多的研究。」

這就是羅恩所知的事實。當我套上合身的結婚禮服、吸吮著六月豆、與姊妹妻舒舒服服躺在毛絨絨的毯子上打盹、思念著家鄉時，羅恩心中所認知的我卻大為不同。

我頭暈目眩，雙腳麻痺，但不知怎地還站得住。

「深呼吸。」林登悄聲提醒我。

「今日我在此，是要收回你們的希望，因為希望會害你喪命。這個研究從一開始就毫無意義，所有試圖找出解藥的瘋狂行徑，對我們來說比病毒本身更危險。這會害死人，我妹妹就是這樣死的。」羅恩說。

我努力想聽他的下一句話，但群眾的叫好聲打斷了他，他們顯然支持他。我很難責怪他們，那樣的故事令人動容；希望難尋，更難掌握，最好快點放棄，這樣容易多了。畢竟在他的故事中，孿生哥哥奮力求生，孿生妹妹卻成為愚蠢希望的受害者。

影片結束，只剩雜訊。

埃德加把光碟放回原處。

他說：「看吧，妳死了。」

西西莉厲聲說：「顯然她活得好好的，還是你其實比看起來得瘋狂？」

她口出惡言，卻沒有人責罵她。

「看來真正瘋的人是你哥。」埃德加對我說。

「我……」我的聲音沙啞。「他從哪裡聽到這些消息的？」

「除了當代科學醫藥領域最受敬重的醫生之外，還能有誰呢？」埃德加說著，轉身面向我們。「沃恩・艾許比。」

「不可能。」我說。

埃德加說：「祕密消息是這麼傳的。據說他想除掉所有的競爭者，成為找出解藥的第一人。」

「祕密消息從何而來？」林登問。

「我從不透露我的消息來源。」埃德加這麼說時，神智似乎不完全清明。

第十二章

解讀妳的孿生哥哥不容易，因爲這個人有些陰暗面，就連妳也不願意承認。算命師這麼說。說不定她只是碰巧猜對，說不定她真有天分，因為她說對了。我一直都不願意承認我哥有能力做出這些可怕的事。我只想相信，能夠再度找到他，一切將一如往昔。

埃德加能告訴我們的還不只如此。他有新聞剪報，對全國首屈一指的醫師兼科學家（也就是我的前公公）的工作進展又相當著迷。但林登看一眼我毫無血色的臉，就說：「夠了。」

我開口要反駁，話還沒出口，林登就說：「如果妳想知道有關你父母的真相，聽起來握有答案的人是你哥。」

我父母的筆記，原本放在行李箱中埋在後院，全都遺失了。羅恩理解其中內容嗎？還是扭曲其意，為自己的妄想火上加油？或者他把筆記交給了沃恩？

我覺得輕飄飄的，好像靈魂出竅。即使是原本堅持要過來的西西莉，也同意林登的看法，表示我們該離開了。如果我想要答案，就得找到哥哥，而現在，我至少對他現在人在何處有點概念。

儘管我心中還有許多未解的問題，在中午之前已經說了好多、聽了好多。回程大家都很安靜，各自心事重重，盯著不同的方向，坐在這輛由邪惡之人的哥哥所開的車裡。

我腦袋裡只有一個念頭：一定要找到羅恩。

不要管埃德加在廣播結束後所講的可怕的事。不要管他給我們看的所有新聞剪報。眼前最重要的，就是趕到南卡羅萊納州的查爾斯頓，免得羅恩又離開了。

「為什麼沒有人阻止他？」林登脫口而出。他看著我，說：「你哥顯然已經瘋了。為什麼有關當局沒人出來阻止他？」

「他沒瘋。」我用連自己都不喜歡的平靜語氣說。「他說的對，當事情未照計畫發展，我們就被拋棄了。沒有人真的關心我們死活。」

「我不相信。」林登說。

「孩子，事實如此。」里德說。

我對里德說：「你早就知道，對不對？」

透過後視鏡，我們四目交接，對看了一會兒。「我們這些瘋狂的老傢伙都會注意新聞，寶貝。我可以親口告訴妳，但我不忍心。」

林登張口要說些什麼，但聲音小到聽不見。我以為他會很委屈，或氣憤，但他的眼神空洞，整張臉面無表情。

我以為他會幫他父親辯護。他看著玻璃上西西莉的倒影，西西莉正看著窗外。他看著她的臉龐在景色變換中消失又出現，也許他想起了他父親是西西莉差點喪命的主因。

至少他們還有彼此，我帶著前所未有、最深的嫉妒這麼想。

回到里德家時，林登默默進了屋。愛兒尾隨而入，準備餵鮑文。這事西西莉通常會想要參與，但現在我們卻在戶外的長草中席地而坐，看著里德在車前忙碌著，那輛要載我去找羅恩的車。他之前認為車已經可以開了，但現在車子某處過熱，他也不是很確定。

「林登打算陪妳一起去找妳哥。」她終於說出口。「他想妳可能會拒絕，於是決定自己偷偷上路，所以他遲遲沒讓妳知道。」她枕在我肩上的頭感覺很沉重。「但是，請務必讓他這麼做。他覺得整件事都是他的錯。他認為要是他父親來追妳，他是唯一可以保護妳的人。這點他大概沒錯。」

林登打算陪我去。這大概也不算驚喜吧。我們還是夫妻時，他總是悉心照料、安撫我。有好多次，儘管我怒氣以對，他仍是唯一不離不棄幫助我的人。

「那妳怎麼辦？」我說。

「我一直在想這個問題。」她說著嘆了口氣。「這樣就表示要把鮑文留在這裡給愛兒和里德照顧，但我不喜歡拋下他。但另一方面，我又重複作著一個夢。」

太陽從浮動的雲朵後現身，西西莉把手放在眉上遮陽光。「夢裡我一直在追某個東西，有點像影子。那東西從我身邊跑走時，開始崩落，飄下碎片，落至地面前化成灰。那些碎片掉落後，影子變得愈來愈小。我想影子就是解藥。我等愈久，追到它的機率就愈小。不要告訴我存著對解藥的希望是愚蠢的，因為我知道妳也這麼盼望。」

多虧了羅恩，看過國內新聞的每個人，現在都知道我們是雙胞胎，而我是當中那個蠢到還懷抱著希望的。但我現在仍懷抱希望嗎？我不知道。

「別告訴林登我跟妳說他的計畫了。」她說。

「我不會。」

午後，熱度節節攀升。太陽燒灼著我的皮膚，不留情面。陽光俘虜了離我幾呎外的西西莉和里德，他們的身體成了一團黑影，只除了一道顏色，那是西西莉的馬尾。

里德正向西西莉解說他的點二二口徑來福槍，他教西西莉怎麼上膛，認識子彈裡的火藥，以及後座力。但她只有一個疑問：「這東西殺得了人嗎？」

「這是槍，不是嗎？」里德說。

他打開槍膛，金色子彈一顆一顆掉入她等在旁邊的掌心。

「但這不是你隨身佩戴的那一把槍。」她說。

「因為這一把沒那麼危險，但卻足以獵到晚餐。」

我趴在長草中，兩肘抵地托著頭，閉上眼睛，把頭往後仰，在太陽被飄移的雲朵吞噬前，感受陽光的炙熱。

我對槍枝略知一二。我哥和我有一把用來防身的獵槍。羅恩會給槍管上油，他說這樣射擊聲會比較響亮。他希望能給侵入者警告，希望大家都覺得我們很危險。我花上好幾個月才不那麼怕那把槍。槍的重量，槍所隱含的意思，我覺得好像靠近那把槍就會讓我死掉。

西西莉完全無所畏懼，她從沒看過里德的彈藥庫之類的東西，讚嘆了幾天之後，她終於開口發問。里德相當樂意傾囊相授，他很有耐心，回答仔細而清楚。儘管他發表過喜歡狗勝於小孩的言論，我倒覺得他會是個好爸爸，鐵定比沃恩好很多。

里德把槍放到西西莉的手中，示範怎麼瞄準遠在幾碼之外的一棵垂死山茱萸樹。「永遠把槍看成子彈已上膛，即使它是空槍。」他這麼指導。她扣動扳機，拉下擊錘，又扣動扳機，發出射擊的碰碰聲。

「繼續練習，說不定我會讓妳發射真的子彈。」他說。

「你當真？」她問。

「說不定我還會給妳看我藏的飛機。」

「你這就是在唬弄我了，你才沒有飛機。」她說。

「我有。我會讓妳知道，只要調整一兩個小地方，那玩意兒就準備飛了。現在眼睛瞄準目標。」

紗門碰一聲關上。林登從門廊階梯上朝我們跑過來。「不可以，不可以，不可以，」他邊跑邊說，「絕對不可以！」

「又沒裝子彈。」西西莉和里德異口同聲。

林登看著我，好像我該為此事負責。我什麼都沒說，他對里德發飆。「你在想什麼，讓她玩槍？」

「我不是在玩，我在學。」西西莉說。

我看得出林登想要從她手中奪下槍，但是他太害怕了。不只怕那武器，也怕眼前的妻子，他一向悉心呵護的妻子。他的手指伸直又握緊。如果我們還是夫妻，我會趨前勸勸他。

「我不知道妳怎麼了，妳好像完全不理智了。」他說。

西西莉記得里德的提醒，永遠要把槍看成已上子彈。她手指移開扳機，把槍放下。她看著林登，一副無可奈何的樣子，也許惱怒的成分更多。

「妳可能會沒命。那東西可能會要了妳的命。」林登說。

里德打岔，「槍沒裝子彈，我們剛說過了。」

「還有你！你應該更明理的。」林登說。他看起來快哭了。每次他心情沮喪，眼睛都閃著那樣的淚光。我想安慰他。我也想為西西莉的舉動辯護，因為我能瞭解。真的。她個頭嬌小，從沒機會好好受教育，她只是希望有點支配力，希望別人把她當一回事。

但這不是我的婚姻。不是我的戰爭。

「我們把話說清楚，小子。」里德告訴林登：「我這輩子從沒做過他媽的什麼壞事，沒傷害過任何一個生命，我也不允許有這種事發生。你別想要跑過來對我大呼小叫，頤指氣使。」

「林登只是想保護她」是我想說的話。西西莉是他的唯一。我離開他。我就近在咫尺，但我已離開了他。

我躺平在地上，希望雜草可以讓我藏身，希望我就此消失。

他們大吵的聲音在耳邊迴盪。我閉上雙眼。讓陽光洗滌一切。

轟！第一聲巨響震得我回神，我坐起身來。每個人都愣住了。里德拿著他的點四五手槍朝天。即使沒有子彈，射擊的槍聲仍響亮。我想他是要停止這場紛爭，但下一刻林登就罵他是發瘋的老頭子，說自己的父親是對的，此話一出，西西莉開始歇斯底里，你竟敢、你怎麼能這樣說等等的話紛紛出口，因為沃恩是她誓言永遠的敵人。我從沒見過林登和西西莉吵成這樣，讓我覺得世界快要毀滅。我以前覺得世界已經分崩離析了，但現在我發現我對某些事情仍有信仰。

接二連三，一切都在瓦解。

我趕緊進屋。

愛兒坐在廚房桌前，抱著鮑文，盯著里德層架上的怪東西瞧。她的眼神朦朧，而鮑文也懶洋洋的。他一整天動個不停，伸手取物、尖叫、用力丟任何拿得到的東西，終於把自己累壞了。

我想起珍娜曾說，鮑文長大後會遺傳西西莉的脾氣，而我們沒有人能活著看到那一幕真是遺憾。我想她一定會很驚訝，鮑文有多開心，活著有多快樂。

愛兒一定累壞了。

「我可以抱他。」我主動要幫忙。

「啊？」她把眼神從層架移開，大眼對我眨著。

「我可以幫忙看鮑文，如果妳想休息的話。」我說。

「不用啦。」她說，聲音微弱。「我喜歡抱他。」

直到我注意到她不時緊張地回瞄我，我才發覺自己一直盯著她。只是，從窗外射進來的陽光打在她的頭髮上，讓我想起狄德麗，讓我想起那座官邸宛若童話故事世界的華美，還有它的正下方藏著的恐怖世界。

我拉出愛兒對面的椅子，然後坐下。她畏畏縮縮，盯著鮑文紅棕色的鬈髮。她從來沒有這麼緊張過。在官邸時，她總是安靜又溫順，忍受著西西莉的指使，但卻從不畏懼。我很確定她在幫西西莉上髮捲或改裙子時，曾一邊翻著白眼，一邊叫西西莉別亂動。

愛兒還是穿著她的制服，排釦白襯衫與黑色蛋糕裙。她也仍以我們的身分稱呼我們，如果她開口的話。我想，遵循這些慣例，讓她有準則可以依附。

「是不是妳覺得這裡不安全？」不經大腦的問題就從我嘴裡迸了出來。一整個早上，委婉地迴避話題實在累煞人。「里德有點古怪，但他和沃恩戶長不同。他不會傷害妳。」

愛兒緊閉雙唇，凝視著鮑文，好久才開口。「沒有地方是安全的，萊茵夫人。尤其對妳來說。」

「我在旁邊妳覺得不自在嗎？因為妳害怕我引起的麻煩，會讓妳也遭殃？」

猶豫了一會兒，她點頭。

「我從不希望事情會演變至此。」我說，這個理由很薄弱，但卻是事實。「我只想再次回到家。」

鮑文發出聲音，愛兒親了親他的頭。

「我不希望狄德麗出事。」我止住不再說，因為狄德麗在我心中有兩個形象，一是我的貼身童傭，一是我在地下室見到的死亡女孩。我仍企圖告訴自己，後者只是夢魘，是幻覺。只有這樣，我才能繼續前行。我沒有幾年可活了，我必須選擇哪些謎團維持未解。

「狄德麗走了。」愛兒說著站起身來，朝門口走去。「她不會再回來了。我得把鮑文放下，讓他睡午覺。」

她巴不得趕快從我身邊離開。這點我不能怪她。

走廊那端的外層門開了，腳步聲咚咚咚在走廊迴響，朝廚房而來。西西莉個頭小，但生氣起來，可是會讓整間屋子震動。

只是，當她進廚房時，看起來一點也不生氣，而是滿臉驚恐。她說：「妳得躲起來，他來了。沃恩戶長來了。」

我縮成一團躲在樓上的壁櫥裡，藏身在里德的大衣中，儘管心噗通噗通狂跳，仍努力不出聲地呼吸。我討厭窄小黑暗的空間。

沃恩的靴子，踩遍整間屋子，聲音迴盪著，當他停步，我很確定他就在我的正下方，我只要動一下，樓板便會嘎吱作響，洩漏我的行蹤。

「你不用問，萊茵不在這裡。」西西莉厲聲道。雖然她的口吻鏗鏘有力，我知道她超怕沃恩，她會面對他是為了要保護我。她說：「我不希望她繼續出現在我丈夫周圍，那不合適。」

「她走了。」林登說，語氣和他的妻子不同，不帶憤怒。「西西莉出院後她就離開了，她說什麼要去曼哈頓之類的。」

「你都沒想過，我關心的並不是你的前妻嗎？」沃恩說。「我非常擔心妳的健康，西西莉，我也很想孫子。我之所以讓這場鬧劇繼續演下去，是想讓妳得到妳需要的休息。我甚至允許妳的貼身傭人過來幫忙。不過，現在看來妳已經恢復平常的精神了。」

里德打岔：「沒有人會被迫離開這間房子，也許只除了你之外，小弟。」

「誰說要強迫了？」沃恩說。「西西莉，林登，面對現實吧。你們不能永遠待在這裡，你們對我懷有的假想恨意已經存在夠久了，我想要盡棄前嫌，就不計較了。我希望能見到我的孫子，我知道他在這裡。」

「他在睡午覺。」林登說。

「我想看他。」沃恩說，語氣完全聽不出強迫。「可以嗎？」我恍然大悟：林登是關鍵。沃恩一直都在操縱兒子，他從不強迫。他從來沒有對兒子表現出危險的一面，以後也不會，因為他不想冒著永遠失去兒子的風險。

「他很淺眠。」林登說。

他們的對話持續，沃恩試圖擊破林登前所未有的強硬，林登拒絕妥協。最後里德說：「你聽到孩子們的話了。他們今晚不會跟你走。」

「西西莉，去看一下鮑文。」林登用的是命令的口吻。不一會兒，我聽到樓梯嘎吱響，西西莉的腳步經過壁櫥，走進臥房，她鐵定會把耳朵貼在地面，仔細聽為什麼她被支開。

「你不會對我說謊。林登？」沃恩說。我發誓我聽到他聲音裡閃過一絲懷疑。

「是的，爸爸，我不會。我總是認為，我們可以彼此信任。」

沃恩說：「萊茵是危險人物，你知道我只是想保護你，對不對？她離開後，我看過你多麼魂不守舍。你現在能瞭解為什麼當她回來時我沒有告訴你了吧。」

「我明白。」林登說。

「我所做的一切，都是為了保護你。」

「我知道。我剛剛說過，她已經離開了。」他撒謊撒得好順，我從來就不知道他有這能耐。林登說：「讓我和西西莉談談，你今晚再過來，我肯定到時她會準備好要回家。」

他們還講了別的，但因為他們走到我可聽見的範圍之外，所以談話內容難辨。儘管沃恩實際上的作為在在指出他沒有身而為人的通情達理，但此刻他的聲音聽起來好聲好氣，充滿同理心。我卻從未懷疑過他愛自己的兒子。他唯一倖存的孩子是他最大的弱點；林登是他活著的理由，讓他趨於瘋狂，同時也讓他偶有人性之舉。

但他會摧毀林登人生的一切，解剖他的妻子們，殺害不完美的嬰兒，絕不允許孩子的缺陷成為兒子的重擔。

前門關上。安靜了一段時間後，腳步聲咚咚咚上樓，我的壁櫥門被打開。林登和里德站在我面前，我從黑暗中爬出，西西莉從臥房現身，眼眶噙滿淚，拳頭緊抓著衣領。她對林登說：「對不起，我之前對你大吼，拜託不要把我帶回去，求求你。」

林登盯著她看了半晌，然後又看看我。里德把手放在他的肩頭，對於侄兒的想法了然於心。

林登說：「我們得在我父親回來前離開，以最快的速度打包。」

第十三章

里德使勁拖了一箱脫水食物，放到車子後座。

西西莉蹙眉，緊緊摟著鮑文。「車頂的材質是塑膠嗎？」

「乙烯基。這是吉普車。車齡已經超過一百年了，還是經得起日曬雨淋。」里德誇口，拍著其中一扇窗。窗戶在陽光的波動下閃閃發光。「收音機也還能用。我注意到妳是個小樂迷。」

這句話讓西西莉得意地笑了，雖然笑得有幾分勉強。「你知道怎麼照顧嬰兒嗎？有足夠的配方奶粉和其他東西嗎？」

「配方奶？」里德說，用指節輕敲鮑文的臉頰。「這個年紀的男孩都可以喝蘭姆酒了。」

「玩笑話。」林登很快地說，把我的手提箱拉出屋外。「親愛的，他開玩笑的。」經過西西莉身旁時，林登在她頰上一吻。「我還是小嬰孩時，是伯伯照顧的，他知道他在做什麼。」

「愛兒也會在這裡幫忙。」我提醒她。愛兒正在樓上打掃，她一整個星期都在忙這件事。林登強調過，她唯一的工作就是照顧鮑文，不是打點里德的家，但她堅持灰塵量這麼多對小嬰兒的健康不利。

「我得去確定她手上有我列的清單。」西西莉說著趕忙進屋。看得出來她力作堅強。鮑文就像她身體的一部分，把他留下是個艱難的決定。但若不如此，他就不安全，誰知道我們這趟旅程會遇到什麼。

林登跟著西西莉進屋。我倚著吉普車，里德靠在我身邊，說：「這不是妳的錯，寶貝。」

我知道他想安慰我，但我仍忍不住苦笑。「是啊。」

里德說：「真的，會演變成這樣也是註定的。我弟總有一天會做得太過火，我總擔心他會把事情搞砸，林登會因為沃恩努力讓他健康而喪命。但多虧有妳，林登終於開始有點深入的洞察力。」

我說：「讓他繼續保持無知不好嗎？如果我不曾出現，他至少會比較快樂。」

里德說：「這個嘛，妳都在這裡了，妳可以對此悶悶不樂，也可以開始行動。」

他說的沒錯，確實如此。因為嘗試而死去，會比漫無目標而死去好。

以前是我哥把我拖下床，強迫我裝裝樣子，直到成為習慣。但現在他人不在，不能拉我一把；他身在幾百哩外，打著無政府主義的旗幟，殺害無辜人民。這次他不能再當我靠山了，我必須自己來。

林登拖了一箱水到後座，跟其他的補給品放一起，那是從里德的井裡打上來裝瓶的。

「我可以幫什麼忙嗎？」我問。

他關上門。「都好了。我們準備出發了。」

里德示範怎麼用手機，那也是他頗自豪的自製裝置。他總共做了三支手機，自己留下一支。他告訴我們：「手機幾乎都沒辦法通話。要靠信號發射臺，那只有在城市才有。當然還有這裡，因為我自己架了一座。」

「難怪有東西一直嗡嗡響著。」西西莉若有所思地說。她雙臂交叉抱胸，儘管天氣熱，連帽運動衫的帽子還是拉了上來。我覺得一陣強風可能會吹過來，讓她頭髮拂面，等到風一過，她也隨風而逝。

「你可以用儀表板上的點菸器為手機充電，如果有緊急事件就打給我。我會去接你們。」里德說。

大家互道再見。西西莉和林登呵護著鮑文，兩人輪流抱，好像他是個共享的祕密，鮑文一臉笑意。他笑了起來，而西西莉把他遞給愛兒時，眉頭深鎖，還給愛兒進行最後一分鐘的耳提面命：他喜歡人家唱歌給他聽；要鼓勵他多爬，不然成長進度會落後。

西西莉對兒子承諾：「我們很快就回來，你根本不會注意到我們離開。」

我爬進後座時，因罪惡感而揪心。我不希望自己是拆散家庭的罪魁禍首。

我夾在塑膠窗和一堆箱子與行李的中間。西西莉坐我前面的位置，而林登負責開車。

西西莉問：「這玩意兒可以跑多快？」

「五十，大概。」林登說。

她爬過扶手，偷看時速表。「數字最高到一百四耶。」她指著時速表說。

「這是老車，親愛的。」林登說。「上面寫著一百四並不代表我們應該開到那麼快。」

「喔，林登。」她說著誇張地倒回座位上。「及時行樂好嗎?!」

夜幕低垂，我們仍未停車。林登亮起大燈繼續開。收音機傳出輕柔的音樂，因雜訊而不時間斷。

我們在小餐館稍停，上個洗手間，西西莉和我交換座位。現在她睡著了，依偎著後座的行李。林登從後視鏡中憂心地瞄了她幾眼，雖然她精神奕奕，林登仍憂心忡忡。我想他是害怕她再次停止呼吸。

我想起我哥，不知他身在何方。我想著時光流轉，我們的生命也悄悄流逝。我想起母親的筆跡，以及里德的槍擱在西西莉無所畏懼的手掌上。

「睡不著？」林登說。

根據儀表板上黯淡的綠色數字，現在才九點，但感覺夜更深。我們彷彿已經開了無止境的時間，而不是四小時。眼前似乎沒有目的地，或許本來就沒有。我不知道。我一直在想，如果能抵達克萊兒的家，林登和西西莉會最安全。我一直在想：不知道蓋布利歐還在那裡嗎？他是否以為我已經死了？納悶轉為擔憂，又轉為痛苦，我必須停止思考，專心看著不斷閃過的模糊景色。但現在天色太黑，看不到了。

我說：「不是，太焦慮了，我猜。如果你願意，可以換我開。」

他說：「我還不累，再幾小時就到查爾斯頓了。我想要開到那裡再停。」

我注意到他踩下油門。我們疾駛過彷彿不存在的通道，到處都是無生命的東西。殘破的建築物，隱藏在出入口封死的房舍裡的文明——如果還有文明的話。

突然有股衝動，讓我想要抓住某個東西。感覺我好像永無止境地墜落，落入虛無，而我想要抓住林登的手。我想要感受他確實抓握方向盤的拉力，我想要感覺我能控制自己要往何處去，想掌握下一刻會發生什麼事。

我竭盡所能忍住，不要去握他的手。

他清清喉嚨，說：「以前我也有哥哥，妳知道，對不對？我父親告訴過妳？」

「他在你出生前就死了。」我說。

「對，我連他的名字都不知道。如果我問起他，父親就閉口不語，還會生氣。我不知道哥哥長得和我像不像，不知道他是否和善，或愛生氣，或其他任何事。但我天天都想起他，嚴格說起來我沒有時時刻刻掛念他，但他就像我背負的體重，或者有時候我說話聽到的回音。」

我交叉雙腿，在座位上轉身，面向著他。「很遺憾你從沒機會見到他。」我說。

林登說：「事實上，如果我哥沒有死，我也不會誕生在世界上。我父親想要我，這樣才有東西可拯救他。」

我很安靜，努力不發出呼吸聲。我知道他說的話很重要，不敢打擾他。我想，或許這些話他從沒大聲說出口，也不可能再說第二次。

「有時候我覺得自己連人都不如，我沒告訴父親這點。他曾說我會是世上最得天獨厚的男孩，因為我會活下來。他告訴我，其他人會出世，是因為計畫生育禁令，或是有些富豪家庭天真以為自己能找出解藥。他不瞭解其實他相去不遠；他不瞭解他不只浪費了他的時間，還浪費了我的。我只是個徒勞無功的嘗試，但他不會接受這點，除非我死了，除非我為他的錯誤付出代價。」

我溫柔地對他說：「別這樣說，你才不是徒勞無功的嘗試。」

「妳父母親也是科學家，對吧？」他的聲音好平和，我不確定聲音中的些微顫慄是不是我想像出來的。「妳有沒有想過要憎恨他們——即使只是一點點——把妳生在世上？」

「有一點。」我承認。「但出生在這個世界由不得我們，林登。不管我們喜不喜歡，我們都在這裡了。我不能讓自己認為我的存在毫無意義。」

「如果能徵詢妳的意見，妳會想要出生嗎？」他說，目光始終直視前方道路。

我不知道心中的答案，直到我脫口而出：「會。」指尖的肥皂泡泡；我在起霧窗戶上的塗鴉；媽媽以為我睡著時給我的輕快晚安吻；蓋布利歐和我初次接吻時那加速的心跳；我喝太多香檳，暖意流竄全身；林登鬆開我的鞋，說我很漂亮。「當然會。」

「我就知道妳會這麼說。」他說。

「那你呢？」我問。

他說：「我再也不確定了。有時候我聽到西西莉吟唱著那首詩：『春姑娘在黎明甦醒，渾然不知我們已逝。』詩句真有道理。我們繼續尋覓永遠不會出現的東西是不對的，我嘗試生孩子是殘忍的。那裡什麼都沒有，萊茵。沒有世界，只有滿是死屍的水塘。為什麼要繼續嘗試把空無一物的空間填滿？」

孩子。他曾經有三個孩子，兩個不在了。西西莉小產時，我看過他的眼神。他表現出只關心西西莉健康的樣子，但我知道失去那孩子對他打擊甚鉅。我們冒牌的婚姻教會我讀他的心思。

我說：「不要去深究原因，那首詩是三百多年前寫的，你可知道？我打賭，在人類可以活到一百歲的過往，大地鬱鬱蒼蒼，房子乾淨新穎，但大家還是會對自身的存在提出疑問。我不認為這種疑問是在病毒肆虐後才有的。」

一抹微笑湧上他的唇齒間，又或者那只是一絲苦笑。他說：「我明白你哥所說有關希望的事，妳看事情有自己一套，從妳的角度來看，事事都會漸入佳境。沒有任何事比妳的希望來得更危險了。」

後座的西西莉咳嗽著醒了過來。林登瞥了一眼後視鏡。「妳醒了嗎，親愛的？」他問。她蠕動了一會兒，然後坐起身。「你們講話把我吵醒了。」她抱怨。「我們今晚要停在這裡過夜嗎？」

「沒有。我們要一路開到查爾斯頓。」林登語氣之溫柔，使我大為驚訝。他對於世界的真實面與種種紛擾相當尖酸刻薄，對西西莉卻極盡疼愛。

「那我想要到前面，睡在你旁邊。」她說。她說話含糊不清，聽得出來還沒完全清醒，但她還是爬到前面，擠在我們中間，還拉了條毯子過來。

她調整好位置，坐在林登身旁。她對我說：「妳不介意到後面去吧？前面的空間容不下我們三人。」

第十四章

在我還沒醒來前，那音樂就幾乎要讓我的心跳出來了。彩虹披巾、蒼白四肢和那個音樂，那個我每根神經都記得的銅管音樂，迫使我馬上清醒。

西西莉跪在前座，身體橫過林登，往他那側的窗戶看出去。「那是什麼？」她發問。

天色很暗，我的眼睛還在適應光線。車子減速停下，林登說：「是嘉年華。」

「開車，不要停下來。」我說。

「什麼是嘉年華？」西西莉問。

「開車！」

我的語氣讓林登催下油門，我們前進時輪胎發出尖銳聲響，我叫林登開快一點，加速到一百四，衝到時速表顯示的極限，林登說：「怎麼了？」我轉身看著後車窗外的影子，那些影子都是姨娘的保鏢、悲傷的姑娘和紫羅蘭。紫羅蘭的真名叫葛蕾絲，她放棄逃亡好讓女兒可以獲得自由。

我們好像慢動作前進著，我還以為我們永遠走不了。但終於與摩天輪的距離愈來愈遠，遠到摩天輪看起來像是移動的星宿。

我跌坐回椅子上，呼吸急促。「那個地方。」我費力說出。

「什麼？」林登說。

「有人要告訴我嘉年華是什麼嗎？連好好看一眼都不成，以前從沒見過。」西西莉說。

「妳不會想要見到的。」我告訴她。

林登把車停在路邊。「我們不應該停在這裡。」我說。

「這裡就是查爾斯頓。」林登說。

我的心一沉。所以姨娘的嘉年華和我哥在同一個鎮上。我不知道我為何該感到訝異。我試著把因腎上腺素攀升而造成的頭暈抑制住。

「除非妳把事情的來龍去脈說清楚，否則我不會開動這輛車。」林登說。

西西莉打開頭頂上的燈，車內充滿了微弱的橘光，她在座位上轉身，面對我。她的眼睛張得好大。「到底外面是什麼？好漂亮。」

突然，車裡面的空氣聞起來有濃濃的塑膠味。

我知道外頭的空氣混合著海水和垃圾的氣味。我知道，因為我曾身處此地。

我厲聲說：「那是摩天輪，可以了吧？它會轉，然後人坐在上面。我猜，以前會讓人開心，但現在已不然，跟其他東西一樣，都壞掉了。現在那裡發生什麼事已經不重要，反正絕不是好事。」

引擎在我們底下嗚嗚作響，而林登的聲音非常輕柔，我幾乎聽不到他說：「妳去過，對不對？」

「那不重要，拜託，我們繼續前進吧。」我說。

「我只是想瞭解。」他說。

突然之間，我很氣他，氣他這麼毫無知覺，氣世上發生的所有壞事，氣為了存活要付出這麼多努力，氣我還得全部解釋給他聽。

「有個女人住在那裡，她蒐集姑娘。那裡是紅燈區。」我說。

「蒐集女孩？」林登眨著眼。我根本懷疑他沒聽過紅燈區。

「為了性？」西西莉直截了當地問。她還沒忘記她在成為新娘前，外面世界的樣貌。

「她把女孩們變成妓女，讓她們無法逃走。如果女孩懷了孩子，對她來說是好事，因為這些孩子將來都會成為她的奴隸。」

我一講完，就後悔自己這麼傲慢。這些都不是林登的錯。而摩天輪也不是我苦難的主要來源，那只是個象徵。摩天輪很美，過去是好的，但現在這一切都不重要了。我們全都生活在與過去世界平行的宇宙中。

不用看，我就知道林登面色慘白。他說：「而妳曾經在那裡？妳……」他無法把話說完。

「沒有，我逃走了。幫助我的女孩就沒那麼幸運了，我現在完全不急著回去那裡，也不想談，所以我們可以開車了嗎？」

他讓吉普車再次上路，開回大路上。「我們不能浪費油料，但我會開遠一點停下來過夜。」他說，並把燈關掉。

西西莉伸手越過座椅，捏捏我的手。

收音機一直開著，低沉，有警示作用，像是暴雨前的雷鳴。我一直等著歌曲間的新聞插播，等著另一起爆炸案的快報。但是並沒有。我盯著窗外，看著模糊閃過的影子。

「我很抱歉。」林登說。語氣堅定、經過深思熟慮，像是他一直在腦袋裡演練似的。「只是蘿絲以前會談論摩天輪。我知道不可能是同一座，但還是讓我想起她。如此而已。」

我向他保證，「不是同一座，除非她跟你的摩天輪是場惡夢。」姨娘的摩天輪是我首次見過、也是唯一見過的，但摩天輪規模可不小，要拆毀大概會花太多錢，工程也太浩大。全國可能有許多摩天輪散布各處，沒有用了以後被擱著腐朽。

他說：「不是，她口中的摩天輪很好。她告訴我的事物多半都是美好的。」

可憐的林登。沒有人認為他可以招架得住負面事物，顯然連蘿絲都這麼想。

「她父母常常旅行，我想她去過每一州，想想看，的確為數不少。十一歲之前就去過四十八州。」他說。他沒把阿拉斯加和夏威夷算進去，那兩州早在一個世紀之前就被摧毀了。

我告訴他我是雙胞胎時，他直說很怪，但他和蘿絲的婚姻其實也沒有不同。雙胞胎有時候會有異常現象，在子宮裡，若兩個胚胎靠得太近就會發生。比較強壯的胚胎會正常成長，而比較弱小的胚胎有可能畸形，被比較強壯的胚胎包覆住，成為寄生者。最後出生的只有一個孩子，但身體裡寄生了孿生手足形體的化石，像個腫瘤。

蘿絲死後，成了寄生林登體內的孿生子。他們曾是兩個不同的個體，穩定恆常地在彼此身邊成長。兩個脈搏。兩個頭腦。但蘿絲癱瘓、畸形而死去，但林登把她包在身體裡繼續過活。蘿絲跟著林登，亦步亦趨，無感無視，只是他肋骨下的陰影。憶起蘿絲，林登的眼神便罩上一抹陰影，他瞥了我一眼，隨即又轉開視線。

我們說好輪流睡覺。西西莉和我在往查爾斯頓的路上已經小睡過了，這會兒我們清醒得很。林登橫躺前座小寐，我從他的呼吸聲就聽得出他已沉睡。如果他有想過他父親會透過西西莉的追蹤器找到我們，現在似乎也不在他擔心之列。他比我更瞭解沃恩的手法。

西西莉和我擠在後座，她凝視著塑膠窗戶外的黑暗，半晌，她開口了：「那是他第一次在我面前談論蘿絲、摩天輪，還有她父母到處遊歷的故事。」

「對他來說很痛苦。」我說。

她搖搖頭，仍然望著遠方。「重點不是那樣。他知道我有時候會吃醋。」

「對什麼吃醋？」我問。

「要和其他三個女人競爭，贏得丈夫的心，並不容易。」西西莉說。

「哪來的競爭？妳是他現在唯一的妻子。」我說。

「我瞭解林登，他一直深愛著蘿絲。而珍娜最美，我永遠都無法匹敵。」她轉頭看著我，眼中充滿無止境的痛楚。

她悠悠地說：「然後，還有妳。」

「兒子，如果你有聽到，我要你知道，沒有找到你我不會放棄。」

沃恩的聲音從收音機傳出，起初我以為自己在作夢，但我睜開雙眼。林登和西西莉坐在前座專注聆聽，廣播中，沃恩告訴訪問他的人，他的獨生子和媳婦失蹤了，現在必定陷於險境。他說目前沒有人出面要求贖金，但他不認為兒子與媳婦是出於自由意志出走。他說他們是今天早晨從床上失蹤，並表示會提供賞金，只求他們回來。

「為什麼他可以對所有事情說謊？」西西莉問。她焦躁地啃咬大拇指的關節。

「他知道我跑走，他只是要發布我們的特徵，好讓我們被找到。」林登說。

我的胃攪在一起。林登從後照鏡看著我。他說：「我父親沒有提到妳，但我打賭他知道妳和我們一起。」

「那鮑文呢？林登，如果你父親挾持他……」西西莉說。

「里德伯伯不會讓此事發生。」林登說。

西西莉看起來沒有買帳。她面色蒼白，手臂止不住地發抖。

收音機傳出一陣雜訊音，然後普通的音樂流洩而出。

現在是清晨，天空灰濛濛的、很陰沉，陣陣潮水湧上垃圾遍布的海岸線。我知道這片沙灘。這裡其實不是蓋布利歐和我上岸的地方，我們離嘉年華更近，但我認得出這淒涼的氣氛，雖然從沒在光天化日之下看過。

幾碼之外，有座製磚工廠，看起來已廢棄，不過大煙囪有縷縷煙塵升起。一定有在製造東西，這表示除了姨娘的嘉年華之外，這裡還有文明。

附近有建物群，可能是公寓社區，也可能已荒廢。很難說，因為沒有供電的跡象。但我從一間像算命師住的組合屋推斷，這附近有人煙。

林登展開地圖說：「我們大概離你哥，呃，已毀損的研究實驗室大約三哩，那要回頭往嘉年華的方向開。」他轉過頭看我。「我們應該去那裡，問看看是否有人知道他的去向。妳準備好了嗎？」

我看不出還有什麼別的選擇。「只要離嘉年華愈遠愈好。」我說。

我不允許自己去想羅恩可能已見過姨娘的摩天輪，他甚至可能跟那女人說過話。她看過他的眼睛，並能聯想到他的孿生妹妹，知道她並沒有死，而且是唯一成功離開她那精緻的瘋狂牢籠的人。第一代的人善於建造牢籠，我猜是因為他們記得曾經有一度，萬物和他們用來打造牢籠的幻覺一樣美麗。

我不想要幻覺。我厭倦了覺得自己身處一個醒不來的夢。

西西莉瘋狂地想用手機和里德聯絡，但附近沒有訊號塔。里德說外頭還是有一些基地臺，特別是強烈電波訊號的地方，那是附近有科技的最佳徵兆。

「我跟妳保證，鮑文一定好端端的。」林登告訴她，手放在她膝上。「如果不是對里德伯伯有十足的信心，我也不會把鮑文留給他。」

「我不信任的，是你父親。」西西莉語氣緊張，她努力不落淚。

「我信任里德，我打賭他現在根本不在家裡。他有那麼多行蹤飄忽的朋友，我敢說我們一離開，他就帶愛兒和鮑文躲到某個沃恩找不到的地方了。」我說。

西西莉吸了吸鼻子。「他最好不要在我兒子身旁抽菸。我才不管他瞎掰什麼抽菸對寶寶無害，那根本就是毒氣。」她嘴巴這樣說，語氣倒是平靜了一點。她盯著窗外閃過的世界，色調灰暗，支離破碎的，然後偶爾瞄瞄手機的螢幕。

我又可以看到摩天輪，是褪了色的紫，映著天空。姨娘的姑娘們現在一定在熟睡，孩童在照管洗衣事宜，修補破洞，採收作物。傑拉德鐵定又埋首於另一項發明。

我睨著西西莉。她憂心忡忡的時候，似乎老了十歲，看起來像經歷過生產、結婚、目睹死亡的女性，而現在又一肩挑起這世界。

林登慢慢開車，好似我們能在路邊發現線索。他問我還好嗎，需不需要空氣。我搖頭，看著塑膠窗外曲折的世界。

然後我看到灰燼。路的另一頭有路障，堆滿鋼桶和臨時湊合的籬笆，路面仍可見爆炸案的瓦礫。我看到遠處有人影移動，一輛黃色吊車拉起斷垣殘壁，倒入垃圾車中。這焦黑醜陋的大怪物，在未來數月、甚至數年內，都會盤據此地。他們大概也不會再蓋另一間實驗室，在曼哈頓就沒有。

哥哥不會在這裡。他夠聰明，知道要轉移陣地。他會在一地待夠久，打出名號，引發暴動之類的，但又不會久到讓尋仇的人逮到。他清楚知道震驚轉為憤怒會花上多久時間。

我用力打開車門，那一剎那林登猛踩煞車，我跳車拔腿狂奔。我在破爛的籬笆碎片中閃來閃去，解開被生鏽鐵釘鉤住的襯衫，奔向我哥燒毀的實驗室的灰燼，只隱約聽到後方有呼喚我的聲音。

長路漫漫，感覺一輩子跑不完。但我跑到已成斷垣殘壁、破窗牖戶的實驗室時，卻一點也不喘。現場有人在清理，全都穿著便衣，也許只是市民前來善後。大家都知道總統根本不會幫忙，不過如果爆炸案更受矚目，說不定他會發表聲明之類的。

「如果妳是在找堪用的物資，那就太遲了。昨天這裡就被清個精光了。」遠處的聲音告訴我。

我默默無語，跪在地上，把手壓在倒塌的一根紅磚柱上。磚塊還是溫的，也許是因日曬，也許是因保留了火焰的餘溫。但那一瞬間，我感覺到我哥的存在，我精神為之一振，感覺急遽的拉力，好像他要我追隨他。

「你在哪裡？」我輕聲喚。

有人伸手碰了我手臂，我縮了一下，彷彿從悠長的夢中醒來，意識仍模糊，感覺很突兀。

西西莉蹲在我身旁。「妳還好嗎？」她說。

「我哥來過這裡，就在這裡。幾天前。」我告訴她。

她皺眉。「妳不應該自己跑走。」她邊說邊把我拉起來。「我們是來幫妳的，妳也知道。」

林登跑向我們，上氣不接下氣。「妳在想什麼？竟然就這樣跑走？」他說。

我無話可說，看著灰燼像蒲公英毛球一樣漫天飛舞，在曾經有人跡、有建物的地方紛飛。

「你們到底要不要幫忙？」有人大聲說。「這裡可不是觀光景點。」

西西莉深吸了一口氣，我知道她就要還以顏色嗆回去，於是趕忙說：「抱歉，只是……」我聲音漸弱。只是什麼？我期盼在這裡找到答案？線索？我只找到更多哥哥留在我們家的東西：焦黑的遺跡，更多他自從判定我死亡後已經發瘋的證據。

「我們在找人，這起爆炸案的始作俑者之一。」林登說。

「他們要是夠聰明，早就已經遠走高飛了。」那人說。「你們到底要不要幫忙？」

「爸，等等。」一個男孩說。他是第二代，不比西西莉高多少。他對站在我們面前的男子說：「他是我們在新聞看到的那個人，那個科學家的兒子。」

我看到男子眼中出現確認的目光。幾個旁人也聽到了，於是團團圍了過來。一陣靜默，無聲的寂靜。林登和西西莉和我緊緊靠在一起，我們只能如此，因為我們知道，現在要跑已經太遲了。

林登試圖擋在我和西西莉的前面。男子把林登推入一輛破車的後座，西西莉大叫著跟著林登，林登想把車門拉上。但這可由不得他，而且從推我們進悶熱車廂的蠻力來判斷，尋拿林登的賞金鐵定高得嚇人，大概足以讓這樣的小鎮蓋醫院或重建我哥燒毀的實驗室了。

「不會有事的，我不會讓我父親動妳們一根汗毛。」林登說。

關於這點，過去他的紀錄不是很好，但我沒說破。

西西莉臉色慘白，噤聲不語。我看到她瞄著口袋，衣服布料後隱約閃現長方形手機的亮光，她靜悄悄地闔上手機。沒用的，反正完全沒有收訊。

男子和他兒子坐在前座，兒子拿槍對準我們，要不是被我看破是把空氣槍，我會更害怕一點，二氧化碳鋼瓶露了餡。讓我惶惶不安的反而是四面八方緊跟在後的數輛車，整村的人都來確保我們插翅也難飛，豈不令人坐立難安。

更令人忐忑的還在後頭。車愈往前開，摩天輪也愈來愈大，而整個車隊就在姨娘嘉年華外圍的通電籬笆前停住了。

第十五章

姨娘從一列保鏢中現身，彷彿女演員從舞臺布幔後登場。即使在車裡，我都能聞到她的香水味和她叼著的香菸竄升的一縷菸味。「讓我看他們。」我聽到她愉悅的大叫聲。

她在等我們，但怎麼會？

男子和他兒子步出車外後，西西莉看著我，神情急切，她有話想說，但無暇開口。兩側的車門都被打開。姨娘說：「我從來沒看過他兒子本人，我確定他的美男子容貌跟照片比一定有過之而無不及。」

持空氣槍的男孩押著我們下車，林登先走，西西莉緊跟著他，我殿後。姨娘看到林登本人時的驚訝與欽慕，在看到我之後瞬間減半，她的雙手仍伸長要摸林登的臉龐。她手上那幾枚俗豔的戒指還是一樣，灰髮在腦後盤成了髻，仍有幾絲金髮閃閃發光。

「妳的小僕役呢，金花？」她說。「別告訴我妳又回到老公身邊，拋棄小僕役啦。」

西西莉想圈住我的手臂，但我閃開了。姨娘痛恨情感流露，一旦目睹愛意就非摧毀不可，我付出很大的代價才知道。

我沒回答她的問題，反而望向通電圍籬的另一端，有許多好奇的眼睛在彩虹帳篷的細縫中眨呀眨的。

姨娘語調平板地說：「沒關係，親愛的，我不會傷害妳。妳給我造成的所有麻煩，都會三倍奉還。妳知道安全把妳送回的賞金有多高嗎？妳的照片和名字在新聞上連提都沒提，看得出沃恩極力想把妳保密，不願意其他人搶先把妳劫走。」

我轉頭看林登，他盯著姨娘看的樣子，好像她很重要，他看起來並不害怕。不知道他是不是在想，我第一次遇到姨娘時心裡怎麼想，對她似乎有詭異的似曾相識感。

姨娘噴出一口煙，西西莉強忍咳嗽，姨娘瞬間轉移注意力，抓住她的臉，屈身與她四目交接，她們盯著彼此看好一會兒，西西莉的眼神木然，不帶情緒也無所畏懼。她失去寶寶的那晚，在死亡的睏倦灰色水域中載浮載沉，然後揮動雙腿剪水泅泳，奮力離開深淵。姨娘威脅不了她。

「不怎麼樣，可能要等青春期開始吧。」姨娘說。她站直身體，拍手，叫保鏢行動。「別擋路。」她對保鏢說：「泡個茶給我們貴客喝，我來聯絡這個美少年的父親。」

「你父親和我是舊識了，林登。」姨娘說。我們到這裡以來，她還沒假裝過口音。「以前學生時代，我們算是有曖昧吧。」

我們坐在五彩的坐墊上，待在蓋布利歐和我以前被迫在觀眾面前表演的桃色帳篷裡。鍍金鳥籠仍在，從裡面凌亂的被單看起來，我想姨娘已經找到新的表演者了。

「然後我的情人成了他的同事。」姨娘繼續說。充當小桌的木板條箱上放了四個杯子，她在裡頭斟了茶。「看得出來你遺傳到他的魅力，對吧？即使你很寡言。」

她看了西西莉一眼，因為失望，臉色沉了下來。也許她期待沃恩的兒子會娶更光鮮亮麗的妻子。但她看到西西莉的戒指，然後看了林登的，眼睛又發亮了。雖然姊妹妻和我的婚戒各有獨特花樣，但也有共通的設計——藤蔓和花朵刻成一圈——姨娘非常喜歡我的戒指。現在她看到我沒戴著了。

「妳的小僕役上哪兒去了？」她又問了一次。她開始擦拭她的銀手槍，槍柄上鑲嵌了假翡翠。我不知道她是不是想威脅我們，也許不是。在姨娘的世界裡，喝茶時拿出致命武器來欣賞是天經地義的。

我對她說了幾個月來的第一句話。「走了。」

「反正他對妳來說也太弱了，妳要是留在丈夫身邊，生活會優渥得多。」姨娘說。她對林登微笑。林登的神情變了，她知道這話傷了他。不過這點痛苦還不夠，她得再繼續說。「當她第一次描述你，我承認我心裡浮現的是更無能的野獸。她顯然把你講得不怎麼討人喜歡。喝茶，全都給我喝。我還有一兩件事要忙。說不定等我回來你們話匣子會打開一點。」

她站起身來離開，裙襬搖曳翻騰，珠寶叮噹作響。一如往常，我可以看到她的守衛駐守在帳篷外的影子。西西莉和林登也看到了。

西西莉伸手入口袋撈出手機，盯著螢幕看，心情沮喪。「什麼都沒有。」她喃喃自語，把手機塞回去。「里德你製造這什麼白癡爛垃圾。」

林登看起來好像快吐了。

「一定有辦法在這裡打電話。」西西莉悄聲說，這樣守衛才不會聽到。「不然那個瘋女人怎麼能跟你父親聯絡？」

「她的守衛之一是個發明家，我很確定他有辦法。」我說。

其實這也不重要了，我們人困在此處，沃恩在趕來的路上，他必定對我們不會留情了。

西西莉盯著她茶杯裡裊裊上升的蒸氣。

「別喝。」我對她說。

她只是盯著茶，眼眶開始泛淚，因為儘管她鼓起那麼大力氣，在姨娘面前強裝勇敢，甚至挺身對抗沃恩，骨子裡她其實很害怕。

林登伸出手指托住西西莉的下巴，哄她轉過頭來。「我不會讓我父親傷害妳。」他說。

她用微弱的音量說：「你還愛我嗎？」

「什麼笨問題，我當然愛妳。」他說。

我低頭望著泥土地，試圖抹去對蓋布利歐突然的回憶。我們是比翼鳥，姨娘賣給擠在我們金色鳥籠外的尋芳客的幻影。我們被姨娘煙霧瀰漫的鴉片所迷惑，燻得昏沉錯亂，所以我所有的記憶都狂亂不已。但不管記憶有多痛苦，我都無法擺脫。我無法忘記他的指尖在我光滑的臂膀上遊走，他撥開我的頭髮親吻我的那一刻，我頸背上的汗毛因期待而豎起。

我不知道這是愛還是幻覺。我也不知道是否有辦法可以確認。

姨娘回來了，她的珠寶就像塑膠吊鐘，宣布她的到來。她手裡握著某種物品，用絲巾包裹著。

西西莉用手腕擦過眼睛，眼淚全都抹掉了。

「我見過你一次，當時你還是小男孩。」姨娘告訴林登。「你大概不記得了。我的情人和我都會和我們的小女兒一起旅遊。過去，我們覺得讓她見世面對她有好處。某個午後你和她一起玩過，那時你們都還是學步兒。」

她展開手中的絲巾，裡頭保護著的是一個相框。我在這裡時，姨娘曾向我吐露，說她有個女兒，但我從來沒看過照片。我還以為她沒留著，畢竟她說過愛女兒是件蠢事。但現在，她渴望地凝視著照片，她塗著螢光粉紅唇彩的嘴唇彎起一道微笑，然後她把照片遞給林登。

「這是我女兒，我的蘿絲。」她說。

我們全都屏息，西西莉往林登身上靠，仔細盯著他手上的照片。林登張著嘴，下唇發抖，顯示出他的震驚。要不是他的嘴唇在抖，我還以為他根本沒反應。他的眼珠是綠石，身體硬如雕像。

我覺得自己以慢動作往林登方向移動，好更仔細看照片。

蘿絲的臥室有張照片，有個午後，她把照片從牆上取下遞給我。當時她已生命垂危，厚重妝容讓她宛如完美的搪瓷娃娃，躺在一汪明亮的六月豆包裝紙中。照片是她和林登小時候在香橙園玩時所攝，我記得照片中的她笑容有多甜美健康。

姨娘照片中的小女孩年紀更小一點，不若香橙園中露齒笑開懷，照片中的小女孩對攝影師露出靦靦的微笑。她騎在旋轉木馬上。

照片中的旋轉木馬我看過。

但更重要的是，那小女孩我認識。她長大後成為林登的新娘。

林登用大拇指輕拂小女孩的臉，然後完全蓋住她。

姨娘對他的鬱鬱寡歡大感不解。

「這是什麼詭計嗎？我不相信我父親會如此殘忍。」他說。

「詭計？」姨娘說。

林登開口，但目光仍停留在蘿絲稚嫩的臉龐上。他們訂婚時，蘿絲年方十一，林登滿十二，照片裡的她年紀更小。

「請問，妳女兒怎麼了？」我對姨娘說。

姨娘怒氣沖沖。她眼中閃過一絲痛苦，但很快就隱藏起來。她從林登手中奪回照片，林登又再次失去了妻子。他眼睜睜看著蘿絲離去，看著她被快速包裹在絲巾裡，被壓在姨娘戴滿珠寶的手指下。

姨娘說：「被人謀殺，倒也無妨，她太好了，這世界不配擁有她。」你們這些孩子像是飛蠅。姨娘領著我穿過嘉年華那天，這麼對我說。又像玫瑰。她告訴我，她有個女兒，頭髮是各種深淺色調的金黃色，像我一樣。繁衍了下一代卻朝生暮死。

「她不是被謀殺的，她是我的妻子。」林登說。

第十六章

從前有個小女孩，非常可愛。

有她是個意外，因為姨娘和情人從來沒打算有小孩。事實上，關於要不要終止懷孕，他們討論許久。在孩子活不過二十或二十五歲生日的世界裡，養小孩似乎要冒太大的情感風險。

但終止懷孕一事，姨娘和她的情人都下不了手。他們轉念，短暫的生命至少勝過沒有生命。他們會給予這個孩子她所想要的一切，他們會走遍全國各個角落，為她短暫的生命填滿百年價值的經歷。

所以，他們的女兒天不怕地不怕，在帳篷間玩耍，狂放不羈地談著大海，聊著藍天。她夢想出國，如果世界其他地方也摧毀殆盡，她想要到其他國家的墓地走一回。她想從世界的一端啟程，航行一圈，再回到起點。

姨娘為此責怪自己。在這個充滿垂死絕望姑娘的嘉年華裡，她把女兒培養成不滿現狀，想遠走高飛。當蘿絲的父親因研究而出遠門時，蘿絲會要求跟他一起去，他幾乎總是妥協。

蘿絲十一歲時，他帶她到佛羅里達海岸與幾個同事開會。沃恩・艾許比就是其中一位。

「她應該要在海灘上堆沙堡，把腳趾浸在海水中的。」姨娘說。

「發生了什麼事？」西西莉輕聲問道。她伸手要取茶杯，但我把手放在她手腕上阻止了她。即使姨娘以禮相待，我還是不信任她端給我們的任何東西。

姨娘撫摸著包在絲巾裡的相框邊緣。

「發生了汽車爆炸案，傳言那是反對研究的自然主義派所發起的。我得到的消息是我的情人和女兒雙雙喪命。」姨娘說。

現在她看著林登。他佝僂著身子，疲憊不堪，我擔心他會崩潰，但他沒有。他說：「蘿絲認為她父母在爆炸案中喪生，她以為媽媽過來和爸爸會合，然後在前來找她的路上喪命了。她一直為此做惡夢，一直。」

「我注意到……」姨娘的聲音平板，不見情緒起伏，但是充滿期待。「你一直沒說她現在如何。」

林登無語。他只是一直盯著茶杯看，眼神茫然。

「蘿絲已經離世一年了。」我說。

「那麼，就是她滿二十歲時。我有一陣子，無法控制自己仍懷抱希望。」姨娘說。

「我……抱歉，」林登脫口而出。然後在大家反應過來前，他站起來，從帳篷的縫隙踉蹌而出。姨娘大喊，要她的守衛別開槍，把籬笆關上，但讓林登想去哪裡就去哪裡。

西西莉緊追在後。

姨娘看著我，她臉上倏忽閃過極少有的人性。我看到她棕色的眼珠，終於明白為什麼幾個月前我第一次見到她時，覺得她很面熟。

「蘿絲長得像妳。」我說。

我待在嘉年華的時日裡，被姨娘支來喚去，受到的待遇就像她旗下的姑娘。但有一點又不太一樣。她把藥丸塞入我喉嚨，但當我和蓋布利歐在一起時，她卻從來沒逼我要和其他姑娘一樣下海。我不需要失去童貞。也許在她心中，這樣才不會玷污了她女兒的形象。也許她終究仍深愛著女兒。

姨娘開口閉口好多次，相框在她手中轉了又轉。她說：「沃恩要我給雙方孩子安排婚事，但我覺得那只是浪費時間。沃恩說我們就能有孫子，但是……白髮人送蘿絲已經夠叫人難受了，我不願埋葬更多孩子。」

這才是真正的姨娘。我明白她為什麼總用各種口音、珠寶與異國情調的香水把自己武裝起來。她不像沃恩那麼邪惡墮落。她只是心碎，沒有別的原因。

「妳讓我想起她。不光是頭髮和臉蛋像而已，妳們都有那種不安於室的特質，眼神都不知道飄向哪裡。」姨娘說。

「我只認識蘿絲一點點，在她走到生命的盡頭前。但她沒有不快樂。她和林登非常相愛。」我說。

「那些年白白浪費掉了。」姨娘說，聲音充滿憤恨。「原本和她還有九年的光陰的，原本可以好好道別的。」

眼前這個女人，曾經囚禁我，給我下藥，背叛我，還在我面前差點謀害了一個小女孩。然而，我卻相信她的悲傷出於真心，我相信她愛自己的女兒。我再也不恨她了。

我告訴她：「沃恩說謊，他也把我和家人拆散。我逃跑，躲的就是他，而不是林登。林登絕對不會傷害別人。」

姨娘說：「沃恩一直都很怪。他總是試圖要不計代價以拯救世界。他一直相信自己能找到病毒的解藥。」她的視線穿過我，投向遠處，停駐良久。然後，她遲疑了一下，開口問我：「蘿絲有孩子嗎？」

「沒有。」我說。至少我可以為她免掉那痛苦。

我在老舊的旋轉木馬那裡找到林登和西西莉。林登正盯著那些被生鏽柱子刺穿的馬匹。他說：「她曾提過這些，她告訴過我摩天輪和旋轉木馬，還有身著華服的女子。我父親告訴她那地方已拆毀，她的父母都已死亡。」

蘿絲對我說過許多事，但她從沒提過在此處的童年。大概太痛苦了。和丈夫述說自己的過去，想必也花了她好幾年的時間才辦到。

西西莉的嘴巴歪扭，好像這是自己的痛。她無法忍受看到林登這麼悲傷。

「他奪走蘿絲鍾愛的一切。他要蘿絲以為自己一無所有，這樣她就沒有理由逃走。」林登咬牙切齒地說。

我碰了林登的肩膀，但他閃開了。

「讓我靜一靜，妳們兩個都別管我。」他說。

西西莉蹙眉。「林登……」

「沒關係，西西莉，來吧，我帶妳去看草莓園。」我說。

她一邊跟我走，一邊回頭看林登。現在林登獨自一人，背脊因落淚而顫抖。

「他需要釋放悲傷，等他心情平靜了，就會來找我們的。」我對她說。

「蘿絲永遠不死。」她說，語氣並沒有酸溜溜的，反倒是沮喪成分居多。

我沒在夏天看過姨娘的嘉年華，上回我在這裡時，萬物覆蓋了一層雪花。現在，昆蟲和傑拉德的機器在午後的暑氣中低鳴。草莓肥碩，生氣盎然，完全不像冬天時那般乾癟糊爛。帳篷外圍的花，蓬勃生長，顏色繽紛。第一代的人類著迷於種花蒔草。

這個時辰非常安靜，所有在此工作的姑娘都熟睡著。

西西莉和我坐在長草中，她把一片葉子撕成碎片。她說：「我覺得可以體會那個女人的心情。我也失去過孩子，孩子連出世都沒有機會，我連是男是女都不知道。我想念從來未曾擁有的東西，是不是很蠢？」

「一點也不。」我說。

她把葉子碎片往肩後丟。「我知道試著懷下一胎是不對的。」她說。她的嘴巴歪斜，想擠出一抹微笑，但變成了皺眉。「但是我想要那個孩子。我願意付出一切代價，只求孩子回來。」

我以為她會哭，但並沒有。她只是摘下一片草葉，在婚戒上繞啊繞的。

她搖搖頭。「林登不希望我再說起這件事。他說這只會讓我難過。他說我們現在要拋下過去，繼續過日子。」

「我們可以辦個告別式。」我說。

「妳看過葬禮嗎？」她問。

「沒有。」我說。「也許我應該為我父母辦一場。當時似乎不需要，我哥和我知道他們不在了。但心裡總覺得沒有個結束，我一直覺得他們有一天會回家。」

現在我也拔了一片草葉，撕成片片。

「我不覺得葬禮就能讓人心情平復，記得珍娜火化後我捧著她的骨灰嗎？我知道骨灰大概不是她的。即使是，也不能讓我離她更近。我知道她不會回來了，但卻仍懷抱希望。那是無法釋懷的。幾乎從我們出生開始，就要理解死亡的意義，而我們一輩子，卻都在否定死亡。」西西莉說。

她說的沒錯。如此年輕的人，就對死亡有這麼中肯的見解，我痛恨這點。

姨娘最終找到我們。她兩眼紅腫，厚厚的妝底上留著兩道眼淚形成的小河，直通臉頰。「我已經安排傑拉德帶你們到安全的地方。」她說。傑拉德，就是前一次幫蓋布利歐和我逃跑的保鏢。姨娘在我面前蹲下來，伸手捧住我的臉頰。我沒料到她傾身向前，親了我的額頭，留下的唇印厚到我都有感覺。「我要給妳自由，小愛情鳥，去享受妳剩下的人生時光吧。」她說。

傑拉德和我上次見到時不一樣。不知怎地，他沒有之前那麼高、那麼嚇人。不過，上回遇到他是在姨娘的嘉年華，我在那麼多鴉片的作用下，還能對那地方有印象，簡直是奇蹟。他襯衫袖子已經磨破，被採花賊子彈打到的傷痕清晰可見。一輛生鏽的白色車在一旁怠速等候，車窗玻璃都是黑的。

「你要載他們到北營區，確定他們有東西吃，有機會可以休息。任何人攔車都不可停下來。現在全國都在找他們。」姨娘說。她拍拍西西莉的肩胛骨，力道很大，令西西莉一個踉蹌。「還好你們是在這裡被抓，本地人會把你們帶來見我。他們知道瞞著我會有什麼下場。這地方歸我管，我當家作主，金花。我告訴過妳了。」

幾個月前，她告訴我這件事，我不知道真的如此，還是只是她的胡言亂語，畢竟這個女人吃太多迷幻藥，總是永無止境地談著間諜什麼的。

「我們得取回我們的車。」西西莉說。

「就當車子不見了吧。我很肯定那些禿鷹早就把車子占為己有了。要是沒有，他們就比我想像中還要笨，不過這不太可能。」姨娘說。

林登垂頭看著地面。他沒問起他父親，只說：「謝謝。」

我們爬進車子後座時，姨娘牢牢握住我的手臂。

她看著我，臉上的每道線條都清晰可見。如今我仔細端詳她，那螢光粉紅的唇膏藏不住她薄薄的嘴唇。我看得出她這七十幾年來感受的所有痛苦。她說：「我的蘿絲死時，請告訴我，她，還漂亮嗎？」美麗是姨娘的眷戀，也是蘿絲的。我記得她的樣子，在沙發床或床上煎熬，總是用濃妝來遮掩她的病容，總是把頭髮整理得優雅高貴。

我根本不必說謊。「她很漂亮。」我說。

我不知道這話減輕了她的痛苦，抑或是增強了，但姨娘用雙手執起我的手，感激地握了握。「謝謝。」她說。

第十七章

車子甫從嘉年華駛出，傑拉德就從後照鏡看著我，問道：「瑪蒂呢？」

「她很安全。」我告訴他。

他將目光移回前方的路上。

西西莉坐在我和林登的中間，她一直扭絞著襯衫，我知道她想碰觸丈夫，但她也和我一樣明白，此刻林登會拒人於千里之外。姨娘狂野的嘉年華，揭露了他父親更不堪的內幕。

我不知道當沃恩現身來接我們時，事情會怎麼發展。無法想像姨娘會對這個奪走她獨生女的男子進行何種報復。

我們開了好幾哩，西西莉終於再也按捺不住沉默，開口說：「她說要你載我們到北營區。什麼是營區？」

「夫人掌管方圓三十哩內的整個地區，她的生意興隆，賺了不少錢，可以讓她在附近打造規模較小的紅燈區。她稱之為營區。」傑拉德說。

他的語氣毫無昔日一貫的粗暴無禮，我猜想是否因為他把西西莉當成孩子。他總是對那些淪為嘉年華奴工的孩子們極有耐心。

「我們得在這裡待多久？」西西莉問。

「直到我接到離開的指示為止。」傑拉德說。

「我沒有冒犯之意，但為什麼是由你發號施令？」西西莉說。

傑拉德大笑。他說：「發號施令的不是我，夫人才是老大。如果她吩咐事情該怎麼辦，一定有她的道理。」

林登看著大海在窗外倏忽閃過。他腦中有著不堪的念頭，我看得到他的倒影，那眼神我甚至認不出來。

北營區不像姨娘的嘉年華一樣華麗，主要還是由帳篷組成，不過並非是五顏六色，多半屬於大地色系。我們在一道高高的通電籬笆前停車，傑拉德搖下車窗和武裝守衛說話，我可以聽見電流滋滋作響的聲音。姨娘鍾情於通電籬笆，蓋布利歐和我攀爬通電籬笆從嘉年華逃跑時，小命幾乎不保。

守衛是第二代的男孩，稚嫩的臉龐弄得髒兮兮的。他們按下按鈕，大門開啟，傑拉德驅車入營。

太陽還沒下山，難怪沒什麼姑娘在工作。我倒是看到幾位，在老舊的浴缸裡刷洗衣物，浴缸連接著水管。不知怎地，我仍聞得到姨娘香水的麝香味。此處沒有嘉年華裡的遊樂設施，但帳篷上有燈條裝飾，色彩明亮的燈籠從頭頂上漁網般的鐵絲垂吊下來。比起一般的紅燈區，這裡還是略高一籌，姨娘真的是營造氣氛的行家。

傑拉德停好車，說：「大家都下車，反正晚餐時間也到了。」

我們被領到一頂綠帳中，地上鋪著同色系的綠床單，好幾個木板條箱充當桌子。木箱上掉漆的圖案是柳橙的廣告，我記得蘿絲說過，她的父親擁有一片柳橙園。不知道他多有錢，影響力又是多大。他栽植柳橙是興趣嗎？是拯救蒼生累了時的散心之處？而我心中的小惡魔又想，會不會是沃恩殺了他，好偷走他女兒，同時又除掉了競爭對手。沃恩一直想找到解藥，但若被人捷足先登，他能不能接受呢？

傑拉德盛了幾碗燕麥粥過來，我不信任地盯著瞧。「沒有下藥啦。」傑拉德說。「妳看，對吧？」他從我碗中舀了一大匙送進嘴裡，甚至還把湯匙兩側舔乾淨，才把湯匙放回去。我看著湯匙沒入燕麥粥裡。

西西莉撈出湯匙，用大拇指和食指捏著晃了晃，再優雅地把湯匙擱在木箱上。「妳可以用我的。」她對我說。

「出去外面往左走幾步路，就有廁所，有需要可以去。我要去找部收音機來。」傑拉德說。

他後腳剛走，西西莉就再次打開手機。

「有來電嗎？」我問。

「沒有。」她說著，表情微慍。「而且電池快要沒電了。」她把注意力轉向一旁悶悶不樂地盯著碗的林登。「拜託吃點東西。」她說。

他一副沒聽到的樣子。

我小聲說：「西西莉，別管他。」

不過，林登倒真的吃了一點，因為有西西莉看著。因為她是他僅有的妻子，他最好要疼惜她，因為他們在一起的時日不多了，也不會有轟轟烈烈的道別，只有空空如也的雙手，渴望著更多時間。

傑拉德拎著收音機回來，播放著音樂。他說：「在地新聞一向在六點時播送最新消息，幾分鐘後就開始了。」

西西莉已經把燕麥粥吃得碗底朝天，在官邸時要是吃這個，她肯定抱怨連連，但一整天沒進食的她，現在一點也不挑。林登儘管心情低落，也吃了不少。

幾分鐘之內，他們都陷入沉睡。

「你在他們的食物裡放了東西，對不對？」我對傑拉德說，他正在調整收音機天線。

「夫人告訴我那孩子今天受苦了，我想他應該需要點休息。另外那個小鬼則是太愛問問題了。」

「你沒有權利……」

「放輕鬆，只是微量的安眠藥。他們醒來後會處於這輩子的最佳狀態。」

他們看起來的確安詳。得知蘿絲的事情以來，林登就一直孤立自己，避免與人肢體接觸。但現在在睡夢中，他手臂環繞著西西莉，西西莉的頭倚著他的頸子。只要他倆相依偎，西西莉就覺得幸福，那裡就是家。

他們的確需要休息，但我懷疑傑拉德支開他們，還有更深沉的理由。

傑拉德把天線調到正確角度，雜音不見了，傳出清晰音樂。他說：「妳剛說瑪蒂很安全，妳有沒有說謊？」

「她在紐約的孤兒院裡。」我說。我沒把事實全盤托出，沒說她和祖母克萊兒在一起，因為我還不能確定這消息對紫羅蘭來說會不會太悲傷，又或者這本來就是她希望的結局。

「她喜歡那裡，還交了個朋友。」

他的表情好似不知是否該相信我，這點不能怪他。畸形兒能走好運，機率畢竟微乎其微。

「紫羅蘭現在怎麼樣？」我問。

傑拉德說：「不錯，忙著訓練新人。自從妳們那次逞英雄之後，夫人就對她特別嚴厲。」

「你是說你助我們一臂之力的那一次。」

「噓。注意聽。這是我不希望他們聽到的消息。」

音樂停歇，一個男性聲音宣布六點在地新聞開始。正如我所料，新聞簡要重述了查爾斯頓爆炸案，根據爆炸規模和現場遺留的殘骸，推測使用了哪種自製爆裂物。

離此最近的研究實驗室，同時兼作醫院的，就是萊辛頓健康研究院，位於查爾斯頓爆炸案發現場的西北方大約一百二十哩。那裡的研究人員都已疏散到祕密地點，以防萬一。

如果萊辛頓是下一個目標，我就必須到哪裡去找羅恩。

「妳看起來坐立不安，金花。」傑拉德說。

「你懂什麼？」我說。

「我知道只要麻煩出現，妳都在附近。」他說。他直視著我的眼，口氣很務實。「這些都跟妳有關，對不對？還有那個夫人幫妳躲著的科學家？」

我看著我的前夫。在睡夢中，他的五官放鬆了，但沉重的壓力盤踞在他的胸口，讓他呼吸困難。他抓著西西莉的袖子，因為即使沉沉睡去，他仍害怕失去。而他淪落至此，都是因為他的父親——我確定。他父親綁架了蘿絲，好讓兒子可以擁有她；他父親謀殺了天生畸形的孫女；他父親是我們人生中一切醜惡的源頭。

是我，打開了那扇門。我強迫林登接受這些事實。他對父親說謊、遠走高飛，都是因為我。而西西莉尾隨在後，因為不管林登走到天涯還是海角，她都會相伴。

我害怕我燃起了她對沃恩的反抗；我害怕沃恩殺了她未出世的孩子是因為想除掉她，或是想馴服她，要她任人擺布。

我害怕這一切都是我的錯。

我不希望再次成為他們痛苦的來源。我希望他們和鮑文重逢，希望他們能共度餘生。我已經破壞得夠多了。

我輕聲說：「傑拉德？我沒有立場要求你幫忙，但如果我回答你的問題，全都回答，我希望你能載我去某個地方。」

「辦不到，金花。我老闆嚴格下令要確保妳的安全。」

「你猜得一點也沒錯，我總是和麻煩脫不了關係並不是什麼巧合。」我說。「但如果萊辛頓將發生爆炸案，我有把握要是我及時趕到，就能阻止。」

「是嗎？」他嗤之以鼻。「怎麼做？」

我解釋：「因為，其中一名炸彈客是我哥哥。」

我告訴傑拉德我所知道的一切。從我被採花賊擄走的那天開始，然後被迫嫁給林登，和蓋布利歐逃亡，後來被姨娘活逮。我告訴他當我回到家時，等著我的是焦黑焚燬的房舍，而尋找哥哥下落徒勞無功。我告訴他我們帶瑪蒂去的孤兒院，還有我的怪病，還有我公公如何找到我，把我囚禁，逼我接受數週詭異的實驗，而這些全都打著尋找那虛幻解藥的旗幟。

我告訴他西西莉失去了胎兒，我們都懷疑幕後黑手是我公公，就像他得為年紀長於我的姊妹妻的死負責一樣。說到這部分時，我因為憤怒，雙臂止不住地顫抖。西西莉很快睡著，現在人平安，但是她歷經的恐懼卻是年輕女孩無法想像的，而這都要怪我，一切都是我的錯。我的雙眼噙滿淚水。

「不是妳的錯。」傑拉德說。

「而且不知怎地，沃恩的魔爪已伸到我哥身上。」我說。「他讓我哥相信我死了，我不知道為什麼，也不知道他怎麼知道我有哥哥，但如果我可以找到我哥，如果我有機會解釋，我知道我能阻止他再去摧毀下一間實驗室。但我不知道他計畫什麼時候行動，我不知道我們還剩多少時間。」

傑拉德從口袋裡掏出皺巴巴的手帕遞給我，我才意識到眼淚這麼快就淹沒了我。

「謝謝。」我啜泣著說。

「嗯，天很快就要黑了。」他說。「現在不方便離開。我們可以明天清晨上路。你的朋友到時候應該也醒了。」

朋友。用這個詞來形容他們和我的關係，是最不複雜的了。

「我已經拖累他們，一路上經歷夠多的險境了。他們在這裡安全嗎？至少在我回來之前？」我說。

「安全無虞，這裡戒備森嚴。」

把西西莉和林登拋之在後的想法我並不喜歡，但這是我唯一的選擇。羅恩是我哥，我的責任，不管他毀了什麼，都起因於他對希望的仇視，而我就是他心中希望的象徵。那個因為蠢到選擇向科學靠攏而香消玉殞的妹妹。

夜色漸深，傑拉德拿來薄毯子，聞起來有姨娘的香水味。我為西西莉和林登拉了一條蓋上，他們連動都沒動。

我在他們身旁躺下，試著入睡，但整夜火焰與灰燼的影像不停襲來。大聲呼喊我哥根本無濟於事，在瓦礫與屍體遍布的荒原裡，我遍尋不著他的身影。

我們在黎明破曉前出發。傑拉德告訴其他守衛，他遵照姨娘的指示帶我出任務，吩咐守衛不得讓林登和西西莉離開營區半步。

「確定要拋下他們？」我爬進生鏽的車子裡時，他問我。

此刻我多麼希望能夠有他們同行，我知道他們醒來發現我走了一定會生氣。但我確定要拋下他們嗎？確定這麼做他們會更安全？確定這是我必須獨自完成的事？

「是的。」我說。傑拉德把鑰匙插入，發動車子，我們就往萊辛頓駛去。

儀表板上方有個小螢幕，裡頭的電子地圖顯示我們的所在地，代表道路的紅線彎曲，以符合傑拉德的行進方向。

我無法將目光移開，那和里德的發明完全不同，或許是二十一世紀的古董。在戰爭摧毀地球的其他部分後，而病毒又還沒全面肆虐前，科技發展到顛峰。我只知道這麼多。醫院和企業四處擴展，然後病毒被發現，全都惡化衰敗了。歷經數個世代所建立起來的榮景，短短不到五十年就頹圮殆盡。

傑拉德注意到我有興趣。「夫人恨死了這東西，她說那是間諜追蹤人民的方法。」他說最後那句話時翻了白眼。姨娘口中虛構的間諜，是她鴉片抽茫時反覆出現的幻境。

「那是什麼？」我問。

「定位系統，類似數位地圖。會從衛星訊號讀取資料。」

「我還以為衛星幾年前就已經廢置不用了。」我說。

「那只是謠言。」傑拉德說。「我想這謠言對總統還是有利用價值。關於總統的角色定位有幾派說法，話說回來，說不定他就像大家所言是個無用的傀儡，而謠言是繼續保持希望的方法。」

車廂內靜默了一會兒，然後我開口：「我聽過一種說法。」

傑拉德瞄了我一眼，繼續專心看路。

「我聽說別的國家和其他大陸仍然存在。」里德的說法我第一次聽到時，感覺驚世駭俗，但現在，天底下沒有太瘋狂的事。

傑拉德大笑。「那種說法已經傳了很多年了，很多人企圖證明此事。」

「那他們怎麼了？」我問。

「喔，他們帶著壯闊蔚藍的彼方故事凱旋而歸。」傑拉德說完後大笑。「他們當然是沒命了，妳說呢？」

我自討苦吃。我忽略胃裡下沉的感覺，看著電子地圖曲折、開展。

萊辛頓健康研究院位於一座破敗城市的中心，那是棟多層磚造建築，和環繞在外的傾頹殘壞房舍相比，研究院看起來算新的了。外圍看來有多戶家庭共居的住宅，窗子都用木板封死了，低矮的雜貨店似乎沒有供電，其他一些建物有點像住宅聚落或孤兒院。交通號誌仍垂掛在上方的電纜上，但完全無作用。

和許多有研究中心進駐的城鎮一樣，這所醫院兼實驗室大概是此區唯一的收入來源。因為總統堅信人類不會完全滅絕，他投入資金挹注此類研究機構，於是醫院給當地開創就業機會，也為傷患與垂死民眾提供照顧。

比如說，像西西莉流產那次的情況。

如果大家仍相信能找出治癒的根源，他們就會相信，在病毒取了他們或子女性命之前，一定有機會可以痊癒。

總統會資助這類機構，但不會提供防衛，擋下我哥這類的威脅。

舉目所見，全無人影。「他們疏散了整座城鎮嗎？」我問。

「他們大概都躲在室內吧。」傑拉德說。「他們能撤到哪裡避難？如果我們繼續開車繞圈圈，只會讓他們起疑心。」

「我不知道要從哪裡開始找我哥。」我說。

「我猜他一定不會大剌剌從藏身地洞現身，我們得等他自己來找我們。」他說。

「在哪裡？」我說。

他直接以行動回答，把車開到醫院後方，開進快要倒塌的停車場裡，然後關掉引擎。停車場非常安靜，連鳥兒都噤聲。定位系統一片黑，衛星也找不到我們。我對傑拉德感到好奇，想問他是怎麼投身姨娘旗下的；想知道在姨娘放他自由之後，他為什麼還回到她身邊。他大可繼續開下去，永遠不回頭。為什麼他要回去？是因為他不能讓紫羅蘭獨自面對那個女人嗎？是因為他沒別的地方好去嗎？是因為身陷囹圄反而是處於世界上最安全的所在？

我認為背後緣由還要更深。我認為他愛姨娘，就像小孩一心一意愛著父母。也許希望並不是人所擁有最危險的東西，也許更危險的是愛。

我開始覺得這麼做好愚蠢。這裡說不定是個陷阱。

接著我卻聽到外面有人聲聚集。我聽到麥克風的尖銳噪音。

我在座位上轉身，從後車窗望出去。我們車一半停在地面下，可以見到一群人的腿。他們正在用木板條箱架設臨時舞臺，這一幕在我面前展開，正如我在埃德加電視上看到的一樣。

我哥正準備要發表演說。

我打開車門，但傑拉德伸手抓住我的手臂，要我別下車。「別魯莽，思考後再行動。」

他說。

「但是……」

「那裡聚集一群人，那群人不但認為妳死了，還想要把這棟建築物付之一炬。妳面對的不是什麼理性的傢伙，金花。」

「所以我才要出面阻止他。」我說。

傑拉德憐投以憐憫的微笑。「妳阻止不了已經發生的事。這小伙子我在收音機裡聽過，也在夫人藏在帳篷內的電視上看過，他已經不是妳可以控制的了。」

「這我可不信。」我說。

他邊說邊打開他那側的門，「好啦，我們在這裡也聽得到。」

踩在停車場的水泥地上時，我的雙腿幾乎不聽使喚。因為亮光而眼前一片黑，太陽穴的脈搏猛烈跳動。

傑拉德和我在停車場的通道緊緊相依，我得踮起腳尖才能偷看到人群。

天氣晴朗，和煦溫暖，天空湛藍。

群眾多半是第二代，男女各半。「他有一群忠心的追隨者。」傑拉德若有所思地說。

「他們怎麼知道他會在此現身？」

他看著我，洋洋自得。「消息總會不脛而走。」

「你早就知道，對不對？早就知道他會出現在此的確切時間。」

「妳不會真以為我在妳朋友的晚餐裡摻了安眠藥，只是因為他們看起來需要睡一覺吧？」他說。「有傳聞指出，這裡會是他的下一個目標。只要找對門路，總會得到消息的。」

刺耳的麥克風噪音逼得我摀住耳朵。接著，有個不同的聲音取代了尖銳噪音，那是我熟悉的聲音，說著：「哈囉，歡迎。」

羅恩站在臨時搭建的舞臺上。

他的聲音透過喇叭隆隆作響，如雷貫耳，一路鑽入我的皮膚，骨頭都跟著聲波戰慄。我覺得暈眩、噁心、無法言語、無法呼吸，每個神經細胞、每個粒子都在等待。

他和我不過幾步之遙，但如果我現在呼喊他的名字，他不會聽見。群眾比我在新聞上看到的那次多了一倍，甚至兩倍。我哥也注意到了。他說他現在有贊助人了，選擇保持匿名的贊助人也覺得他奮鬥的目標很重要，因此願意金援。他告訴群眾，他們每個人都很重要，他們不是新聞所說的恐怖份子。他們是革命家，他們預防更多的世代受苦受難。他說燒毀這些實驗室將會終結徒勞無功的人體實驗。

他接下來說的話我聽不到，因為群眾瘋狂地鼓掌叫好。他說什麼並不重要，他們只是極度需要這些話語，需要知道當中有個領袖。我一字不漏地仔細聽，感覺字字句句都在我血液中跳動，但卻無法領會。但傑拉德聽得懂，他把我推回車內，嘴巴說著：「走！走！走！」我車門都還沒關好，他就踩下油門。

我們加速駛離停車場，才剛走，爆炸的烈焰煙塵占滿了整個後視鏡。

我不顧車子還在行進就猛然打開車門，傑拉德在我背後叫喊，但那無關緊要了，我已經落地。我往前撲，雙手雙膝觸地，暈眩了一會兒才有辦法站起來。

腳底下的土地在搖晃。

下一波爆炸襲來。接著又一波，另一波，再一波。

烈焰的熱氣直衝而來，完美的早晨因此而起波瀾，扭曲變形。我轉身看著熊熊烈火中的建築物，幾分鐘之前那還是萊辛頓健康研究院。我嗆得直咳。

群眾激動莫名。

欣喜若狂。

他們忘情呼喊的字是「羅恩」。

他是主謀。在高高的三樓有扇窗玻璃震得粉碎，在混亂中幾乎聽不到。曾經是牆壁的一塊東西飛落砸在我面前。

傑拉德鉤住我的手肘我把拉走，而我完全愣住，無法抵抗。太震驚了，目瞪口呆。

我們距離拉得夠遠後，傑拉德才放手，我呆若木雞地站在塵土中，看著毀滅與慶祝交纏，直到我根本分不清這兩者。

如果林登在這裡，他會叮嚀我記得呼吸。我努力回想吸氣和吐氣的動作。我努力降低心跳速度，因為若不如此，心臟一定會從我的肋骨間衝出來。

「看到了吧？」傑拉德在我耳邊說。「不管你哥以前是怎麼樣的人，現在他都不是妳能控制得了的。」

我這才回神過來，猛力搖頭。「不，才不是。」我說。我往前跑，這次傑拉德沒追我。我哥已經步下臨時舞臺。四處都是人。他們沒有注意到我，因為在外頭，我和他們都是新一代受害者，只是個穿著別人衣服、滿手灰塵的孩子。人一旦聚眾，就會失去人性。

但現在我看到他了。他舉手擋陽光，欣賞著他的作品。有個女孩挽著他的手臂，我在新聞裡看過她，我哥侃侃談著死去的妹妹時，她就站在他身旁。女孩現在看我哥看得入神，我哥卻專注於火焰上。

當我呼喚他的名字，那聲音幾乎不受我的控制。聲音在群眾上方遨翔，然後擊中他。即使從我所站的地方，還是能看出他認出我的聲音。他快速掙脫女孩糾結的手，昂然而立，宛如動物意識到危險。我試著再喚一聲，但那個字，那個名，耗盡了我僅存的精力，我連站立的剩餘力氣都無。

我無助地等待他發現聲音來源，而當他找到我，當他虹膜異色症的雙眼和我四目交接，我從嘴裡再次吐出那個字，但微弱不已。他身邊的女孩消失了，群眾模糊成無意義的顏色和形狀，我感覺不到心跳，身體毫無知覺，也渾然不覺烈焰的熾熱。

我只看得到他的臉，充滿困惑、無比熟悉的那張臉。

第十八章

這幾個月的一切碎成片片，飛落我腳邊。我雙腿抖動，像是使勁要踢開碎片。我笨手笨腳，全身打顫，怎麼動都不夠快。

在我倒在他身上前，他一把扶住我，攫住我的雙臂，凝視著我的臉，看著我顫抖的嘴。他的眼睛像我的，又和我完全不同，比我印象中還要銳利。他長高了，我想我也是。

他開口，但還沒吐出任何字句前，我說：「別告訴我我已經死了。我聽過太多次了，不能忍受再聽一次。」

他想說些什麼，但是發出一聲哀鳴，像我在新聞中聽到他談到我時的哀淒悲切。然後他把我拉到胸前，我伸出雙臂環繞他。

他在發抖，呼吸之間熱淚迸發，流到我脖子上，我努力想說：「沒關係，我人就在這裡，不要緊了。」但我也在啜泣。

現實召喚我們回神。我聽到烈火劈哩啪啦地燃燒，有個陌生的聲音叫著他，問他怎麼一回事。但我不想回到現實世界，我不想回答現實的問題，面對我哥剛才所做的事。

所以我很驚訝自己主動發問：「你剛做了什麼？」

我緊緊抓住他的襯衫，那單薄又沾滿灰塵的髒襯衫。他的鎖骨抵著我的臉頰，挨得太近我臉頰都發痛了，但我並沒有躲開。

「我可以解釋，這一切我都能解釋。」他說。

「羅恩。」陌生聲音繼續叫他。從陌生人口中聽到他的名字，感覺好生疏。

他和我分開，但伸手攬住我的背，把我拉近他身邊。他對那狂野的女孩說：「碧，這是我妹妹。」

從她上下打量我的表情來看，分不出她是想表示不屑，還是想用視線直接穿過我，彷彿我不存在。她說：「死掉的那個？還是你還有沒跟我們提過的妹妹？」

此時他退一步，好好看著我，我們身邊的一切遁形。「我還以為妳被殺害了。」他說。

我說：「我聽到你在新聞上說的。沒有一件事是真的，完全沒有。」

「但是我……」他看看那女孩，碧，然後又回頭看我。「我不懂，我很確定。我和一位醫生談過話，他看到妳，看到妳的眼睛。他也知道妳消失的日期，妳的名字，還有我們是雙胞胎。」

我無法大聲說出那人的名字，那個我到哪裡都擺脫不掉的可怕名字。

碧說：「記者很快就會到了，想跟他們談話嗎？」

「沒時間了，我們得撤退。」羅恩說。他的視線投向遠處，我轉頭看到傑拉德站在遠方，看著我們。羅恩現在盯著傑拉德看，神情就和狂野女孩盯著我看一樣。

我對傑拉德說：「我得走了，謝謝你載我一程。」

「妳確定？」他說。

我點點頭。「請轉達林登和西西莉。告訴他們，等他們回到里德家，我會回去看他們。」我竭力保持聲調平穩，因為不知道自己說的會不會成真。不知道能不能再見到他們。但我想起西西莉那晚在里德家跟我說的話。我們有自己的人生要照顧，要做的事情很多，時間卻這麼少。她說的沒錯。我知道她和林登是一家人，而我和我哥是一家人。「還有，傑拉德？答應我，他們一定會平安無恙。」

「當然。」他說。

他轉身走入人群，我在他背後大叫：「告訴他們，我愛他們。」

傑拉德沒有回頭，舉起手揮了揮。

我們坐在百年老敞篷車的後座，駕駛的年輕男子塊頭結實，肩膀寬厚。羅恩沒有問我之前的行蹤，我也沒有問他為何燒了我們家，或引領他來此地的一連串事件。這些都等會兒再說吧。

駕駛瞄我的眼光一樣冷淡，後座另一側的碧依然對我怒目而視。

我彷彿身歷奇異夢境。我哥就是我的伊甸園，但事有蹊蹺。瀑布氤氳、百合綻放的美麗山谷畫面背後，埋伏著什麼黯慘陰險的東西。但我不想承認，我想要時間於此刻凍結，一切都可以佯裝完美，我很安全，羅恩也很安全。

我假裝兩人失散的這一年並沒有改變任何事。我假裝他的眼神沒有一絲我在他新朋友眼中看到的冷酷。

喇叭和組裝舞臺的組件都打包入後車廂，車廂蓋用幾條粗麻繩束縛住。我哥一根指頭都不用動，群眾裡有他的粉絲，非常樂意提供協助。他領著我走向車子，並沒有向任何人介紹我，只是抓著我的手腕，讓我跟在他背後，或許是保護我，或許是把我藏起來，也許兩者都是。

他儼然已是反叛者中的名人。有個女孩趨前詢問可否觸摸他，然後還沒得到他同意，就抓住他的手拚命地搖。女孩說他改變了她的一生，我哥謝過她，並說他希望女孩崇拜的是他的作為，而不是他本人。

他的作為。毀掉我們父母所支持的一切。

我又感覺到那潛伏的陰影。但如果我仔細看他，他眼眶周圍因淚水而泛紅，那淚在我們從擁抱中分開的那一刻就已停歇，但我知道他不像傑拉德所說的那樣。陽光照耀他的頭髮，他的髮色和我一樣是深淺不一的金黃。他從沒離我而去。羅恩永遠不會離我而去。

「我們到家了。」碧宣布著，車子在一堆瓦礫前停下，昔日的房屋如今殘破至此。她緊緊勾著羅恩的手臂，羅恩於是看著她。她報以微笑，用指背輕撫他的臉頰。「我們應該在醫生抵達前休息一下嗎？」

他興趣缺缺地睨著她。「你們先進去，我等等會回去。」

「長官？」駕駛開口，嗓音低沉，即使只講了這兩個字，也聽得出語氣惡狠很的。

「沒關係。」羅恩說。

遲疑半晌，他們下了車，頻頻回頭看，毫不隱瞞他們對我的疑心。我應該要轉頭看別處，但我仍直視他們，因為他們的去向令我目瞪口呆。那僅存斷垣殘壁的房子，不及人的腰部高，根本連屋頂也沒有。四處所見只有死氣沉沉的玉米田，以及可能一度是畜欄和糧倉的廢墟。大塊頭蹲下去，解開一道掛鎖，掀起本來鎖在地面的木板，然後身影沒入底下的階梯。

羅恩捏了捏我的手。

「看到妳回來，感覺妳好像從……」他話就此打住。

「我一直努力在……」我一時哽咽，於是清了清喉嚨。「我一直努力在找你。我看到家裡的情況了。」

他搖著頭，看著我們的手良久，然後鬆開手，伸手越過我，打開我這一側的車門。「我們去散散步吧。」他說。

涼爽的微風掃過脆弱的玉米莖，沙沙作響，我們的腳步聲像是揉紙的聲音。

「所以這裡現在是你的家。」我說。

「我一直告訴碧不要用這個字，這裡只是暫時的基地，我們到這裡不過一個多月。哪裡需要我們，我們就去，然後躲起來不被發現。」

我彎腰拔了一片草葉，在手中把玩，才不會沒事做。

「我想問妳這些日子妳上哪裡去了。」他說，腳步和我一致，凝望前方。「我都做最壞的打算，但妳看起來好像還好。」

還好。我熬過採花賊廂型車的暗黑密閉空間，被迫嫁給陌生人。我被下藥，然後在颶風狂嘯中奔跑。我眼睜睜看著一個女孩頭枕在我的雙膝，垂死掙扎，而過去對我瞭若指掌的哥哥，卻永遠見不到這個女孩。我曾戴著婚戒，曾忍受針刺進我的眼睛裡。

但這些我都不知如何啟齒。我不知道要怎麼彌補我們開始過著不同人生的這段失落時光。

「很抱歉妳得看到家裡變成那樣，我別無選擇，我不能忍受別人住在裡面，事情必得如此不可。我知道我們不會再回去了。」羅恩說。

「為什麼不能回去？」我說。

「情勢變了，我遇到一個傑出的醫生，萊茵……」說到我名字時他稍微停頓。不知道我不在時他是否能說出我的名字。「他知道許多事，關於這世界，關於病毒，是我從來不可能想過會成真的事。」他說。

拜託不要是沃恩。這個想法在我腦海裡盤旋。拜託這位傑出人士不要就是促成我們分離的始作俑者。

「就是這位醫生告訴你我已經死了？」我問。

羅恩停步，握住我的手腕，要我停在原處。「他告訴我有個女孩左眼珠是藍色，右眼珠是褐色，自願參與實驗手術。她是異卵雙胞胎之一，認為自己的眼睛可能是關鍵，她想幫忙找出解藥。」

我被採花賊擄走，是因為我回應了一則捐骨髓換現金的廣告。到頭來是一場騙局，根本沒有什麼實驗，只有採花賊。

「你在哪裡遇到這個人的？」我說。

「當時我以為妳被採花賊擄走，於是我接跨州的送貨工作，順便到紅燈區找妳。但是我總認為妳還活著，總覺得妳會自己回家，所以我一定回家看看。妳失蹤後幾週，他出現在我們家。他聽說我在找的女孩特徵和妳吻合，他說那女孩在一個研究實驗中喪生。我當然不願相信他的話。不過，雖然我對陌生人描述過妳許多次，卻不曾提過我們是雙胞胎，我也從沒說過妳的名字。但他卻全都知道。」

一陣暈眩襲來，我深呼吸來穩住。沃恩。一定是沃恩。不然還有誰？但他是怎麼知道羅恩的？他怎麼知道我們是雙胞胎？

「他甚至知道爸媽是科學家，對此他表示有興趣。我花了好幾個月才開始相信他所說的。我翻閱爸媽的筆記，讀完了他們過世時我們還太小讀不懂的內容。所有的那些實驗。筆記紀錄了我們，還有我們出世之前他們的孩子。我把所有的筆記都拿給醫生看，他雇用了我，作為我提供情報的交換。」

「雇用你？」我說。我的聲音既生疏又遙遠，那是別的女孩的聲音，在別處，不可能是我。

「他是個知名度很高的醫生，他不能公然抨擊研究，不能破壞實驗室。他需要別人來做這些事。」羅恩說。

「所以他在利用你。」我說。

「才不是！」他搔著頭，苦惱又沮喪。「等到時機成熟，他會宣布這一切的目的何在。」

「目的何在？」我說。「你怎麼能說這個實驗室無意義的？那個傑出醫生懦弱到不敢自己做的事，你怎麼能幫他做？」

他對我微笑。我已經很久沒看過他微笑了，但這抹笑容又有點不同，有點不對勁。他說：「一般人啊，根本不知道什麼對他們最好，他們需要簡單的解釋。他們需要被哄騙才能順從，因為如果是被強迫，只會激起反抗心理。我當然不認為研究是無意義的，反正不是全都如此。」

「我聽不懂。」

「妳還活著，但那不會改變每天都有人因實驗而死的事實。也不會改變世界分崩離析、冀望著不可能出現的答案的事實。所有的研究實驗室，多年來都在重複同樣的實驗。這些實驗室找不出解藥的。」

「你怎麼知道？」我說。

他用手托住我的臉，把我拉向他，胡亂地在我前額印上一吻，眼神散發出狂野的喜悅，說：「因為，妳絕對無法想像我看到什麼美好的景象。」

第十九章

「羅恩！」碧的呼喚聲傳來。我轉身望著她聲音的方向時，才發現羅恩和我走了多遠。她站在玉米田的邊緣，我幾乎看不清楚她的身形。「醫生已經到了！」她大吼。

羅恩揮手回應。他說：「來吧，我等不及要讓妳見他了。等不及要告訴他妳還活著。」

「等等。你不覺得奇怪嗎？醫生對我瞭如指掌，但卻告訴你我已經死了。」

「如果他撒謊，那也絕對有他的理由，我知道他能解釋的。」羅恩說。

「那不只是個謊言！」我說，而我得加快腳步才能趕上他，他急著要去見他的完美醫生。「他告訴你，你妹妹死得很慘，你難道不生氣？」

他停下腳步，轉身面對我。不知道多久以來第一次，我看到他真心的笑容。我看到那個兒時和我肩並肩躺在床上的哥哥，那個望著夜空和我一起編著行星有臉的故事的哥哥。他說：「妳還活著，我怎麼會生氣？」他拉起我的手，叫我加快腳步，我們跑過沙沙作響的田地，奔向那個邪惡醫生，但夏日微風輕拂髮梢，我讓自己假裝一切都會沒事。

那個感覺只短暫停留。我們走出田地時，我看到一輛黑色加長禮車停在載我們來這裡的破車旁。而捏著我的手的哥哥，卻渾然不知那輛車，就是把我從他身邊帶走的車。他渾然不知站在車旁的醫生，就是讓我生不如死的惡魔首領。

沃恩看到我了，我讀不出他臉上的表情。他沒有前來打招呼，而是等我和羅恩走過去。

「艾許比醫生，我要向你介紹……」羅恩說。

「你妹妹。我們已經認識了，是吧，萊茵？」沃恩說。

羅恩一頭霧水地看著我們。「那麼，你知道她……」

「活著？是的，當然。我一直希望時機成熟時，能把一切告訴你。但你妹妹一如往常般有她自己的想法。」沃恩說。

羅恩轉身背對沃恩，才能好好看著我，只看著我。「妳認識艾許比醫生？」他說。

「我……」我盯著雙腳。我怎麼說得出口？我要怎麼解釋我對哥哥所敬佩的人恨之入骨？我要怎麼告訴我哥，他為了這個人放火殺害了無辜民眾，拱手送出爸媽畢生心血，但此人卻在過去一年操縱他、囚禁我？

「認識她可真是一大樂事。我兒子深深被她吸引，他從來就不是叛逆的小孩，但這方面潛力都被她給激發出來了。」沃恩說。

羅恩轉向沃恩。「你有兒子？」

「恐怕這一切得在去機場的路上再跟你解釋了，我們行程有點耽誤了。」沃恩說。

「機場？」我說。

「妳該不會以為我哥是唯一有飛行工具的人吧。妳會喜歡我的飛機的，安全多了，而且真的可以離開地面。」沃恩說。

羅恩沒有質疑這點，讓我不寒而慄。沃恩為他打開車門，他就鑽進禮車後座，並招手要我進去。他坐過那個位置幾次了？我和姊妹妻在同一個位置被下藥迷昏俘虜。

姊妹妻和我留下的蛛絲馬跡早已不見。真皮內裝聞起來有清潔劑的味道，車窗明亮無瑕。我覺得想吐，但還是跟著哥哥爬進後座，因為天涯海角我都願意跟隨他，因為即使我很不願意承認，我想聽聽我的前公公要怎麼為他自己辯解。

碧和大塊頭也想跟，但沃恩豎起手阻擋。他說：「這次不行，這是私人派對。」

碧皺起眉，探頭入禮車。「羅恩？」她說。

「我之後會告訴你們必要的細節。」他說。

沃恩緊接在後上了車，車門關上時我看見碧的表情。她有西西莉對林登的堅定不移愛慕，也有失落的神色，因為沒有羅恩相伴，她不知如何自處。

羅恩似乎不改顏色。

車子開動後，沃恩就說：「如你所見，關於你妹妹，我說了幾個謊，但我保證那些謊都是必要的。」

羅恩正看著我，看著我呼吸起伏，提醒自己我是活生生的。

沃恩說：「我先從我沒說謊的部分說起，她的確自願參與實驗計畫。我想應該是捐骨髓，而且是有酬勞給付的。很不幸地，這是採花賊所設下的陷阱，一網打盡後再把這些女孩賣作新娘，藉此海撈一筆。她被帶到我兒子面前成為新娘候選人，算是非常走運的了。我一看到她的雙眼，就知道她異於常人。虹膜異色症出現在一般人類身上的原因很多，但在第二代卻幾乎從未耳聞。如果我兒子沒有選中她，我也絕對會說服他。」

那不完全正確。他在地下室拿我作實驗時曾說，如果林登當初沒有選我，他會跳過這道功夫，直接把我留下來當實驗品。

「把萊茵載到我兒子面前的廂型車內，還有其他女孩。」沃恩說。「我兒子選好新娘後，我花了一大筆封口費，確保其他女孩不會走漏消息。有個像萊茵一樣眼睛的女孩被賣作新娘這樣的消息，我可不能大意讓它傳出去。一般民眾可能會以為她只是畸形，但要是被精通醫學的人聽到怎麼得了？或者更糟，被某個尋覓解藥的神經病知道了，然後想把她占為己有怎麼辦？想想看她會遭遇多大的危險。」

他確保其他女孩不會走漏消息。我在惡夢中還是會聽到槍聲，珍娜想到姊妹時失魂落魄的眼神，仍然不時糾纏著我。

羅恩沒提問，彷彿已被訓練成乖乖聽話。還有多少次他把沃恩的話當真？我已學會在沃恩的面前忍住怒火，但這回要默默承受實在不容易。

「萊茵成為我兒子的新娘，生活舒適。她參加奢華派對，還有貼身傭人伺候著。她和姊妹妻感情融洽，和其中一個似乎特別好。」

「萊茵？」羅恩說，撥開遮住我臉龐的頭髮。「妳結婚了？」

這問題不好回答。是的。不是。不再是了。我沒辦法抬頭看他。

「我打算要跟你說你妹妹的事的，但一直苦無機會。我不想讓你分心，我也承認我怕如果你知道她平安活著，你會忽略了重要大事，你會分心注意自身利害，忘了目前投身的是超越己身的重大使命。」沃恩越過我去拍羅恩的膝蓋，他向我示威，一度我以為屬於我的哥哥，如今在他的掌握之下。「你現在的所作所為，是拯救蒼生。」

我終於尋回自己的聲音：「你一開始怎麼知道要找我哥？你怎麼知道我是雙胞胎？」

他大笑，笑聲中有他兒子的善意。「當然是從妳告訴我們親愛的西西莉的那些故事裡得知的。」

禮車終於停下來，我渾身發抖。沃恩踏出車門，說他准許我們獨處幾分鐘，但他提醒羅恩，我們行程很緊湊，要趕著去參加會議。

車門關上，只剩我們，羅恩說：「對不起，我那時沒在妳身邊保護妳。」

我抬眼迎上他的目光，心中的希望燃起。希望他看沃恩的方式和我一樣。

但他說：「妳知道我們有多幸運嗎？如果不是艾許比醫生找到妳，我根本不敢想會發生什麼事。」

「幸運？」我脫口而出。「我被塞進廂型車的後座，被載往沿海某處，然後被迫結婚。你受騙以為我死了。這還算幸運？」

「因為我們現在是大計畫的一員，我們能活下來。」

「羅恩，難道這一切你都不覺得難以置信嗎？」

「沒見過的事我一向不信，妳夠聰明才會質疑。我沒有要妳信任艾許比醫師，但我請妳信任我。」他說。

我覺得這個哥哥我再也不認得了，我想告訴他這一點。我開口，但失了膽量。他直視我的眼，噢，我多麼希望能相信他所說的一切，多希望能改變現實，以符合他所思所想。我可以帶我們回曼哈頓，我可以忍受他的作為，我可以設法重建我們父母的房子，餘生都在院子裡栽種百合。我可以永遠不再離家，如果這麼做能讓我們都平安無虞的話。

我不能背棄他，我不能把他獨自留在沃恩的魔爪下，因為我已經失去了父母、丈夫、姊妹妻，可能還有蓋布利歐。但失去對我哥的信心，意味著我將變成不知如何自處的女孩。

沃恩打開車門，露出他那老成持重的微笑。「都搞定了？」他問。

「我想是的。」羅恩看著我說：「萊茵？」

「好吧。」我說。

沃恩領著我們走向柏油碎石鋪面的跑道，私人噴射機已在那裡候著。機翼上有金特立總統的徽章——寶藍色的老鷹剪影飛過白色太陽。我把這點列入我不知是否想要答案的諸多問題之一。

機艙沒有比里德棚屋裡停的那架飛機大多少，不過倒是豪華許多，有米黃色皮套的座椅，鋪著東方風情的地毯，窗簾上也印著總統的徽章。

我們一就座，沃恩就命令空服員為我們倒香檳。我沒動，只盯著高腳杯看，沃恩說：「我發現香檳可以舒緩首次搭機乘客的緊張。」

「我很好，謝了。」我說。

「我都忘了妳有多勇敢。」沃恩說著，從杯中啜飲一口。「羅恩，改天提醒我說說你妹妹和颶風的故事。現在，我應該先跟她說我曾告訴你的故事，只有這樣才能讓她瞭解。」

「不要預設立場。」羅恩說。

我回瞪他。他很平靜，他已經接受沃恩為他安排的一切。但我所認識的沃恩卻截然不同。他的話中或許有幾分事實，但那也掩埋在他自己的現實之中，在那裡，事情從來就不是他希望別人想的那樣。我早該知道了。有一度我嫁的男孩就活在那樣的現實裡。

「想像一個充斥著骯髒污穢的世界。」沃恩說。這並不難。

「世界被分成幾大洲、數個國家、城市、城鎮。兩世紀多以前，美國處於高峰，在醫藥與科技領域都遙遙領先。美國也極度依賴外國進口。

「以前社會是有組織結構的，這觀念你們這一代是很陌生的，你們生活周遭都是失敗的成果和腐爛的作物，但是曾有一度，社會是有秩序的。當時的總統不只是傀儡而已。」

他喝了口香檳，望著身旁的窗戶，彷彿那井然有序的國家就在我們的正下方。

「秩序沒有維持太久，歷史會告訴我們這永遠不可能。戰爭開打，疾病、死亡。總統有願景，和平的國度會成為珍貴的必需品，也許能樹立典範，給世界其他地方也帶來和平。而當人民在最軟弱無力時，他保證提供保護，保證他會讓人民免於被蹂躪，藉此撫慰人心。」

這不是沃恩憑空想像的舉措。歷史書也記載了這些事，雖然里德告訴我書不見得可靠。

「政府開始查抄他們認為會引發疾病的東西——日曬機。親愛的，妳大概連聽都沒聽過，因為這東西一無是處；添加至食品內的某些化學物質；濾水器。甚至連日照時間都有限制。讓手機可以使用的基地臺都被勒令停止運作。過去有種基礎建設叫做網際網路，透過網路，人人都可以取得資訊。這也成了一種奢侈，只有特定職業的人才負擔得起。當然，接二連三的抗議在所難免，這是預料中事。但之後的幾十年，美國人民興旺，自給自足的經濟繁榮發達。」

我想像著那畫面，雖然不應如此。老是想著不可能擁有的事物於事無補。時間太寶貴了。

「如妳所見，榮景撐不了永遠，每一代都有反叛者，這是必然，人類天生就會提出質疑。總統被逼著只好去平息在民眾間日益升溫的緊張對立。他可以從幾個面向下手，如財政、財產。但最終他選擇了任何一代都不想失去的東西——孩子。他聘用了最厲害的遺傳學家，以基因工程培育完美的下一代，對普通細菌較有抵抗力。過去致命的流行感冒，如今只不過是輕微的鼻塞。隨著科技進步，遺傳學家發現根除癌症和其他遺傳疾病的方法。總統宣布，過去查抄會引發疾病的器具，都會歸還給社會。」

這部分我聽過。我本來應該完美無缺，本來應該活過數十年。他不需要繼續說，但他還是滔滔不絕。

「隨著社會變革，總統逐步安排剔除舊書，傳布新書。歷史慢慢變化、重寫，有人猜測在數十年之內，他計畫抹滅美國以外世界的痕跡，他不要人民相信世界的其他區域遭毀滅，他要人民認為那些地區根本不存在。沒有網路，沒有國際通訊。事實會變得混淆不清、支離破碎，沒有人知道真相何在。」

我想起父親的地圖集，還有蓋布利歐跟我講書房裡歷史書中的船，以及里德圖書室裡的書中筆記。滿紙謊言。他們偷走了我們的未來還不夠，還要偷走我們的過去。

沃恩說：「不要一副苦瓜臉嘛，妳聽過人類可以活到上百歲的時代。事實上，我們的國家正在受難。空氣和水中的毒物已縮短了人類壽命，剩下差不多一半，所以妳見不到我之前那一代人還到處趴趴走。病毒被發現之時還存在的人類，也幾乎都沒有生育能力了。真的，世界早就一團糟了。這個病毒只是讓它更糟一點點而已。

「我猜，剩下的事妳已經知道了。第一代成長茁壯，之後生養小孩，直到二十多年之後，發現致命缺陷。女性活不過二十歲，男性活不過二十五歲。」

二十和二十五。我們都很熟悉的數字。

「那時有了新的總統，我們的羅德理克．金特立三世，名號承襲自他先父。我們的孩子相繼死去，政府站不住腳。多年來政府收買打點的警察、醫生與律師都紛紛與其反目為敵，科學派與自然派開始涇渭分明。接著，第一起實驗室爆炸案發生，很不幸地，事發地點就是開啟所有苦痛的那間實驗室，第一代誕生的研究資料與技術全都在這間實驗室裡。因為自然誕生的孩童已永遠不復見，我們至少可以創造更多的第一代，而他們就如妳所知，一路活到現在七十幾歲了。有人相信研究室被反叛者摧毀，有人相信是政府幹的。也許是要全人類滅絕的陰謀。」

「那沒道理，」我脫口而出，「有誰會想要終結全人類？」

沃恩對我的激動無動於衷，說道：「厭倦這永無止境的惡性循環的人。」

我不想相信他，但很可恨地，我的確相信。

「但事情不能只看表面。故事剩下的部分不能只用說的，要眼見為憑。」

「眼見為憑。」我說，聲音飄落至地面。

羅恩說：「我知道要一下子接受這麼多很難，如果妳一開始不完全信也沒有關係，我那時也不信。」

不知不覺中，我已乾掉香檳。沃恩把我的酒杯倒滿。「這趟旅程很長。」他說。

「你還沒說我們要去哪裡，還是這也只能眼見為憑？」

「我可以告訴妳，雖然妳可能要親眼見到才會相信我。我們要去夏威夷。」沃恩說。

第二十章

飛行時間是折磨人的十一個小時。整整十一個小時和俘虜我的人面對面而坐，每一刻我腦中都浮出新的疑惑。你眞的計畫要讓我和我哥團圓嗎？西西莉流產是你造成的嗎？你的說詞有幾分屬實？羅恩和我跟這一切有什麼關係？狄德麗怎麼了？蓋布利歐在哪裡？

「一切都會沒事的。」羅恩說。他語氣溫柔，哄我再飲一口香檳，要我轉身看窗外，欣賞雲朵。

我無助地看著他。他再也不會只是羅恩，我也再也不會只是萊茵，一切都已被動過手腳了。我能感同身受沃恩口中的人民的感受，生活被愛管閒事的總統侵擾。所有的事情都發生在我出生之前，然而此刻被侵擾的，是我的人生——變得支離破碎。我能窺見過去的片段微光，但那些全都拼不回去了。

「才不會都沒事。」我喃喃說，但羅恩正在聽沃恩沒完沒了地扯著飛行高度，所以沒有聽到我的話。

我發現，沃恩對羅恩和我隱瞞彼此近況的那段時間，和我並無關係，我只是讓他兒子分心的東西，以及另一具可以實驗的軀體。羅恩有沃恩所需要的腦袋，但若羅恩以為我還活著，他便不會合作，他會忙於擔心我的下落。

飛機降落之時，我頭痛欲裂，耳朵悶脹，聽力阻塞。雖然已經飛了十一小時，目的地仍是亮晃晃的白天。我望著窗外，只見一望無際的水，碧綠、湛藍與靛藍。我從來沒看過這麼清澈的水。

「赴約時間是一小時之後，看來我們的萊茵需要一點時間融入。我現在吩咐他們送餐過來，時間到了我再過來接你們，這樣如何？」沃恩說。

「這樣最好了。」羅恩代表我們回答，好像在他作主之下我沒有行為能力。不過，沃恩下飛機讓我們獨處，我倒是很感激。

送餐過來的侍者屬於太平洋島民血統，可以證明我們已抵達夏威夷，傳聞中已被摧毀的美國國土。但我對沃恩的諸多詭計已經麻木，還沒想好要相信什麼。

我都沒注意到她送上來的食物，聞到龍蝦與奶油融化的香味才察覺。那是我最愛吃的，這純屬巧合，還是沃恩背地裡也從我這裡偷得這項資訊？

「我們下飛機之前，我想，艾許比醫生要我給妳一點心理建設，對待會兒即將見到的事有所準備。」羅恩說。

在之前的經歷後，我想不出這裡會有什麼事能嚇倒我。羅恩看到的還是那個十六歲的妹妹，天真過頭，蠢到無法瞭解自己差點被闖入家裡地下室的採花賊擄走，還笨到會回覆顯然是個陷阱的廣告。他沒有看見這一年的分離對我的影響。

又或者他其實看到了。他把我的臉斜向一邊，讓我正視他，然後說：「但妳有能力自己看。現在我擔心的是別的事。」

「別的事？」我說。

他清清喉嚨，盯著眼前的餐盤。「遲早我們都要面對事實，世事已變。但，現在妳活著，今天早上我醒來時甚至對此不知情。只是妳……妳看起來成熟多了。過去這一年我覺得妳凍結在時間裡，我覺得我年紀會增長，而妳永遠十六歲，是個孩子。上回我們相見時，我們都還是孩子，對不對？但現在妳已嫁作人妻了。」

現在，很奇怪地，我竟為他感到惋惜。他還沒遺忘憑弔我死亡的感覺。

「我想知道答案，又不想。不知道自己是否準備好要聽妳述說這一年的經歷。」

「遲早的事，你說的沒錯。」我柔聲說。

「至於現在，我只有一個問題，就是……」他臉色刷白，避開我的目光。「妳丈夫……他……人好嗎？對妳好嗎？」

我想起林登。那陰鬱、高雅、一度是我丈夫的林登，瘋狂地愛著一個從他指縫中溜走的女子。在我們都需要有人陪伴的時刻，他來到我的床前緊緊擁抱我。他一輩子不愁吃不愁穿，卻為了我，離開他相依為命的父親，放棄他一直以來的安穩。

我不曉得羅恩能不能瞭解我和林登婚姻的本質，我自己也不見得瞭解。所以我回答：「是的。」

我忍不住又加了一句：「他和他父親截然不同。」

「妳很氣艾許比醫生，這點我能理解。我也很想氣他，他讓我們分離了一年，然而……」他瞇起眼，思考著該用什麼話語來打平這位偉大導師的小缺點。「然而他給我們的，遠遠超過我們失去的。」

「你為什麼相信他所說的一切？」我問。我本想說下去，但忍住了。終於和哥哥團圓，我不想冒著再次失去他的風險。

「妳沒注意到送晚餐給我們的女侍，有什麼不尋常嗎？」他說。

我沒特別注意。「你是指她是夏威夷人？」我問。

羅恩說：「不，我是指她比第二代老，但比第一代年輕。第一代、第二代這些詞彙在這裡根本不存在，這裡的人生來不帶病毒。」

「不可能，事情必有蹊蹺。」我說。

羅恩對著餐盤微笑。「妳以前從來不會事事懷疑，我還擔心妳太容易相信別人。現在我還滿想念這點的。」

我想念他的事才多呢。但我沒說出口。

「妳應該吃點東西，這樣才有體力對抗時差。現在是我們出發地晚上十點，但在這裡不過才晚餐時間而已。」

沃恩過來接我們時，我們已經吃飽了。他帶了一套乾淨衣物給我們換上：黑色T恤和橄欖綠的短褲，很合身。一時之間，我很蠢地希望狄德麗平安無恙，這些衣服是她為我量身縫製的，但我馬上感覺到出廠標籤刺得我臀部發癢。

「妳的頭髮總是這麼不聽話。」我步出噴射機時沃恩這麼說。我才不會讓他拍我的頭髮看怎麼回事，不可以讓他得逞。

沃恩走在我和羅恩前面幾步，不知道他是不是刻意要讓我們聊天。我已經一年多沒有和哥哥這麼親近了，我大可以告訴他我所經歷忍受的一切，但現在這麼做感覺很不智。不管我哥和沃恩之間形成了什麼默契，都是建立於證據與信任之上。沃恩證實了他的論點，而羅恩也響應。我對哥哥說話的方式可得非常小心。他已經斷論沃恩所作所為都超越個人利益，而我雖然目前無法瞭解，但終將改變心意。

沃恩對此心知肚明，不是嗎？他知道我和羅恩互動，必得耐心等待時機，正如之前和林登一樣。沃恩洞悉我的招數，而且這一次他不會讓我輕易溜走。

「妳臉色不太好。」羅恩皺眉。

「一定是因為時差，如你所料。」

他用肩膀輕輕撞了我一下。好熟悉的動作。以前他總會這麼做，我不禁觸動思鄉之情，有股想哭的衝動，但我忍住了，不能掉淚。必須讓他看見我現在已經變堅強了，我不是過去的我了。

但，我是誰？

我們走進大樓時，羅恩對我說。他挨著我，小小聲說：「聽著，等一下妳見到的事情，或許會嚇著妳。但我要妳知道，那是經過我同意的。我要妳知道，不管看起來怎樣，我都沒事。」

「我還以為你說我不用先有心理準備。」我說。

他又撞了一下我的肩。「記住我說的話就是了。」

我們經過好幾道安全檢查，武裝警衛有男有女，看起來都超過二十或二十五歲，但我還是很狐疑。我筋疲力盡、頭昏腦脹，這一整天都籠罩在不真實的幻彩之中。我哥真的在我身邊，我腳下踩著的土地是據說不存在的地方，這一切都太意外了，難以置信。

我們停下腳步。羅恩和一位第一代的女性說話，她領他穿過一道門，潔白無菌，就像周遭的一切。這裡到處都是白牆銳角，潔白無瑕，我們的鞋印彷彿會弄髒地板。

羅恩回頭看我，我看到當我們父母喪命時，和我並肩站在一起感受天搖地動的那個十三歲男孩。我看見領悟和恐懼。我看見我們是對方唯一的依靠。然後他的眼神變得難以捉摸。

「一會兒見。」羅恩對我說。

沃恩伸手攬著我，領我朝向走廊另一端。「跟我走。」他說。

我回頭，但羅恩已經不見了。

我們經過另一道安全檢查，置身燈光昏暗的房間，比我在官邸臥室裡的更衣室還小。有一整面牆都是玻璃做的，隔壁房間有霓虹燈和一張傾斜的床墊。

「我以為妳我有機會可以聊聊，我們一直處得不太好，但現在情勢改變，我希望能重新開始。也許之前我低估妳了。妳和我兒子還是夫妻時，我對在妳身上做的那些實驗沒有坦白。但當時妳很倔強，不好說話，我很篤定妳會抗議。但我非常高興認識妳哥，你們都是聰明小孩，你們父母對你們的表現一定很自豪。」沃恩說。

我雙臂交叉，盯著玻璃後看。「不要提到我父母。」我說。

「好吧。那我就只說我看過他們的筆記，欽佩他們的努力。妳自己來讀會更合適。」

我痛恨他已經讀過爸媽的筆記這件事，他的眼睛侵犯了爸媽的思想與筆跡，就像他用針筒和藥丸侵犯我一樣，就像他用承諾侵犯了我哥的心一樣。

他繼續說：「我一輩子致力於找出解藥，在這裡就不多提我失去大兒子時的驚愕與心情，或是林登出生時的喜悅，免得妳聽煩。但那喜悅的每一刻都籠罩著害怕失去他的陰影。恐懼促使我採取行動，激發我在自己的專業裡成為備受推崇的人，不管身為醫師還是遺傳學家。」

這點倒是中肯。沃恩名氣響亮，全國皆知。

「我在工作上的努力吸引了總統的興趣。大約在三十年前，因發現第二代被這謎樣的疾病奪走性命，總統開始召集一組菁英，廣納各領域的翹楚來研究並解決此問題。幾年前，我入選了。

「但入選還不夠。要贏得總統的青睞，每位專家都要準備個案研究，例如格拉斯曼醫師就針對畸形孩童的突變做了很棒的報告。而黑斯勒醫師的部分研究中，探討這個疾病何以會以病毒之名傳遍天下。妳知道，這其實不完全算是病毒。病毒是感染而來的，而不是衍生自基因。但當我們的孩子接續死亡，我們一開始並沒有懷疑是基因出了問題，而是懷疑別的大爆發，如受污染的殺蟲劑。當然，我們現在比較清楚了。」

玻璃另一邊的房間裡，燈光大作。門開了，護士推著一部輪床進入。我的肺部緊縮，口乾舌燥。躺在輪床上蒼白像是死了似地一動也不動的，就是羅恩。

「我一直努力要想出一種個案研究，值得總統撥出時間來看。」沃恩說。

四名護士把我哥從輪床抬到床上，讓他在傾斜的床墊上躺好。

「一開始我試圖想出一種方式，讓第二代可以適應他們短暫的生命。我嘗試過讓女性在青春期之前就能有足月的孕期。我還以為做出了一點進展，結果沒有受試者能熬過療程。」

他在蘿絲的貼身傭人莉迪雅身上做的就是這個實驗，然後又對狄德麗。莉迪雅撐不過最後的試驗，而我不知道我有沒有勇氣能面對狄德麗的遭遇。

沃恩說著這些可怕情事的同時，一名護士正在羅恩的眼皮上貼膠帶，保持眼睛睜開。很熟悉的場景，熟悉到令人作嘔。

「然後妳哥哥提出了妳父母的筆記，內容是有關複製病毒的。」

我可以聽見擴音器裡隱約傳來指令聲，防護頭盔從天而降，護士將頭盔安置在羅恩頭上，在下巴處扣好。我可以看到羅恩胸膛的上下起伏，但除此之外他全身無力，兩隻手臂癱在身側，吊著點滴，液體注入他的靜脈。

我不想看，但我無法把頭轉開。

「我們的珍娜是很有意思的受試者，可以試驗妳父母的理論。」沃恩說。「我就不贅述那些血淋淋的細節了，我知道妳和她感情很好。不用說，她也沒活下來。」

我再也聽不下去了。我盯著哥哥，努力想聽從他床頭擴音器傳出的聲音。那些指令和詞彙對我毫無意義，但我極力讓自己只聽到那些。

我知道接下來會發生的事，不用等到看到針頭觸及他的眼球。

我摸著玻璃，嘴巴喃喃吐出「數數兒吧」。數秒數直到結束。他一定正在這麼做，我好像看到他的下唇微微動著。第二支針刺進另一顆眼球裡，單單看著他，過往在我身上如出一轍的回憶全都回來了。西西莉當時在我身邊，告訴我她想讓風箏飛起來的故事。但此時沒有人和羅恩講話，沒有人陪伴他，只有幾名護士，監測著點滴，等著實驗結束把他癱瘓的身體抬回擔架。

膠帶從他眼皮上撕下後，他眨了眼。我看著他手指彎曲，幾乎握成了拳頭，我才發現自己也同時在胸前握拳了。

沃恩仍然滔滔不絕。

「不要講了。」我說，呼吸急促。「你不用再解釋了。我懂了，我們都是你的個案研究。」

「聰明。來吧，跟我來。我帶妳去看他。」他說。

通往羅恩房間的檢查哨，不只一位武裝警衛盯梢，而是兩位，沃恩拿出門禁卡，刷過面板才能解鎖。

羅恩的房間和此處其他地方一樣，整潔無菌，了無生氣。他躺在床上，屬於第一代的護士監看著流過管子注入他手臂的點滴。到處都是接著線路的監測器，紀錄他的脈搏數值。

我不確定他是否清醒。他雙眼緊閉，眼皮深黑，像是瘀青。

當我承受沃恩那侵入的實驗時，看起來也是如此嗎？羅恩看起來好脆弱，不到一小時前，他還那麼強壯有血色。我不敢靠近，怕弄傷他，但沃恩輕推我向前，我走到床旁邊。

「我們的男孩情況如何？」他問護士。護士遞了紀錄表給他。

「羅恩？」我用大拇指輕拂他眉毛上殘留的膠帶痕。

我可以看到他眼皮下的眼球在轉動，然後他眨了眨眼。他看著我，我不確定他是否認出我來。他的瞳孔放大。

沃恩要他盡可能握緊拳頭。很好。動動腳趾。很好。眼睛眨一下，再一下。很好。

我喚了他的名字，他發出呻吟。

「他不會痛，但是要一直躺到明天早上。」沃恩說。

我哥哥怎麼可能會同意這件事？當沃恩囚禁我，給我下鎮定劑好讓我無力反抗時，我哥哥竟然自願忍受同樣殘酷的試煉。沃恩到底花了多少時間，才操縱他到這個地步？我要花多少時間才能讓我哥回頭？

還是一切都回不去了？

沃恩帶我回到走廊，我覺得被下藥而恍惚的人是我。我眼睛痠痛，雙腿麻木，不知自己在前進。

沃恩正談著高溫，他聲音興奮，不時轉為低語。他熱愛自己的瘋狂，就像鳥兒熱愛藍天。而且，他多麼高興我也在場。有好多事情他想跟我分享，在我最偉大的夢想之外還有一整個世界。

他完全不知道我的夢想有多大。

我們搭著玻璃電梯往上。電梯的一邊是整潔無菌大樓的無菌樓層，而在另一側，天空緩緩轉紫變粉紅。

我們現在一定要留在此處，他說。這棟大樓很安全，我們的工作都在這幾道牆之間，明天上午我們就要去搭機。從這扇門到飛機。但妳看，看這片景色。

目的地到了，十三樓。有一整面牆是玻璃帷幕，玻璃窗之多，我彷彿置身大樓的骨架之中。我站在玻璃前，沃恩雙手往我肩上擺，並說：「妳看，看到什麼？」

我看到如在高腳杯中溢灑出的海洋，澄澈、波光粼粼，浪花翻騰。我看到沙洲。我看到乾淨的建築物，整齊的街道，街燈輪流亮著綠、黃、紅三色。我看到車子。

我沒有詞彙可以回答他的問題。

遠方的大樓外，巨大的螢幕上，一名女子正在洗手，然後舉起瓶子放在臉旁，露出微笑，瓶身的標籤清晰可見。女子年紀比我大上許多，但比沃恩小很多。

「這裡的人都痊癒了？」我問，對我剛說的話有點不敢相信。

我看到玻璃上映著沃恩的微笑，襯著那完美的海洋。「不，親愛的，下面的那些人聽都沒聽過病毒。」

第二十一章

我慢慢開始相信。

蘿絲是沃恩第一個真正的受試者。至少在羅恩和我出現之前，她是他的最愛。我們在十五樓的自助餐廳裡坐下，他開始娓娓道來。我們身邊都是醫師、護士，年齡不一，但多半都是第一代。他們也是以「第一代」自稱嗎？不是第一代或第二代的人要叫什麼？活著的人看不到死亡標著哪個數字降臨，那要怎麼稱呼？

沃恩沒強迫我吃盤裡的食物。他用刀切著牛排，繼續講他的故事。

他第一次見到蘿絲時，她還在蹣跚學步，當時她父母帶她參加抗生素耐藥性的演講。蘿絲和林登一起玩，在桌子下四處爬，追來追去，咯咯大笑。沃恩突然覺得林登應該有個玩伴，但更重要的是，有一天他會需要找個老婆。這些都發生在沃恩得知此處之前，在總統與他聯繫之前，當時他仍相信未來的孫子會握有他兒子尋不著的答案。他提議讓兩個小孩先訂婚，但遭蘿絲父母婉拒。

「那時候我就看得出來，他們不配養她，他們根本不知道她的潛力。」他說。

那一瞬間，蘿絲在我心中復活。她伶俐的棕色眼眸、淘氣的微笑和一頭閃耀的金髮。而我又再次聽到在她斷氣之際，林登號啕大哭的聲音。

她原本可以自由自在的。她原本可以大快朵頤新鮮草莓，逗弄姨娘的守衛，和父親四處旅行。

「他們一直都遊蕩在外，她父母比較像吉普賽人，而不是文明的專業人士。幾年後我再度見到蘿絲，她父親帶她到佛羅里達海岸參加研討會。如我所料，她出落得非常標緻，容貌神似她母親。

「她父親把我拉到一旁，告訴我總統已聘請他加入研究團隊。他告訴我這個地方，希望我和他合作。

「然後，很不幸地，他喪生了。」

我沒多問造成蘿絲父親死亡的汽車爆炸案，從沃恩的眼神中，可以看出這起悲劇事件並非偶然。

「妳要知道，我不能讓這個冰雪聰明的女孩回到她媽媽的妓院裡。妳應該聽過她怎麼說自己女兒。想到她會變成粗鄙的街頭流鶯我就心痛。不行。我這麼做是最好的安排。她和我兒子在一起反而更好。」

沃恩把餐盤食物一掃而空。「蘿絲出現之前，我曾差點失去林登，讓我羞愧不已。我的治療方式使他病入膏肓，幸好他後來復原了，只損失幾顆臼齒，但我知道不能再像那次一樣冒任何險了。如果我想治好自己的孩子，我不能把他當白老鼠。」

「所以你才利用蘿絲。」我說。

「『利用』是個醜陋的字眼，我不知道能否接受這個詞。不行。我比較喜歡把她想成珍貴的學習經驗。多虧了我的療法，她活過二十歲生日，多了幾個月壽命。這個研究為我贏得總統的注意。我在她身上創下了生命時間紀錄。但她並不是我要的人。還算不上。」

「所以你覺得我哥和我是『你要的人』？」我問。

「很遺憾，不是。我一來到這裡，就發現有人已經捷足先登了。已有多種治療方法被發現。」沃恩說。

這些話聽起來好不真實。他說得好自然，我不禁納悶自己是不是聽錯了。

沃恩發現我滿臉疑惑，他的臉上漾起令人解除心防的慈祥微笑。他說：「妳和妳哥都是我的個案研究。目前我們在研究你們的身體能否承受現有的療法。我恐怕得說，沒有任何一種療法全面適用。有些人現在可以活到三十多歲，但也有其他接受相同療法的人面臨可怕的致死率，一切取決於種族、性別，以及開始接受療程的年齡。到目前為止，還沒有在患有虹膜異色症受試者身上試驗的案例，很遺憾地，虹膜異色症證實是條死路。但我依然相信，你們的ＤＮＡ必有獨特之處；虹膜異色症只是表面上的副作用。毫無疑問妳和妳哥哥都是經過基因選殖的。唯一的問題是，不知道你們父母的意圖為何。」

以前他不時離開官邸，一去就是幾天。去西雅圖參加年會，去清水市開學術會議，他是不是都來這裡，我哥哥也隨行？

我盯著他背後的玻璃窗。海洋就是這樣，坦坦蕩蕩，我心想，沒有包藏著另一個世界。

世界沒有全面毀滅。我們所學只有部分是真實的。戰爭和天災弭平了一些陸地，將國家數量減了一半、三分之一等等，在幾百年前的溫帶地區造成了極端的天氣。有些事已經改變。但不是全部。不是最重要的事：仍有生命存活。仍有地方可去。

「妳和妳哥哥註定不凡，你們父母對你們各有計畫。大計畫。而我下定決心要加以實現。」

我們搭電梯下樓時，我想到林登、西西莉和蓋布利歐仍困在那死氣沉沉的世界裡，以為那裡就是全部。

沃恩說，問題不是能否及時找到解藥以拯救他的兒子和孫子，而是解藥能否及時臻於完善。他問我，萬一人民知道這一切，會引發多大的混亂？不行。最好繼續保有他無頭蒼蠅、孤軍奮戰的形象，讓我哥哥這類的反叛份子來摧毀實驗室，散播支持自然主義的論點。最好讓人民保持無知，看不見希望。接著，一旦引進解藥，他們就會感激涕零，渴望組織嚴謹的政府把他們從儼然已如糞坑的國家拯救出來。他們會回到總統的控制之下。

「妳總是百般不願讓出掌控權，對吧？」我們步出電梯時沃恩說。「但這是值得的。人民需要領袖，需要感覺有人當家，覺得自己被更偉大的人照顧。若要每個人都覺得自己的命運要自己負全責，那可恐怖多了，畢竟我們都知道自己的墮落。」

「所以你瞞著我。」我說。

「為了方便，我的確是說了幾個謊。比如說藍色六月豆，並不是給妳微量的病毒，它們包含了微量的實驗解藥。妳逃跑之後服藥中斷，如我所料，妳因此生病。但我也因此有了個想法。我停止給妳哥同樣的藥，結果對他的影響極小，他連發燒都沒有。這進一步證實了一個理論：存在於男性體內的病毒和存在於女性體內的病毒完全無關。」

突然之間，我再也不想聽下去了。我的腦袋天旋地轉。

白色走廊與其他走廊並無二致，但現在似乎截然不同。一切都不同了，連沃恩都是。他一直滔滔不絕，最後終於輪到我說話時，我問：「我什麼時候能再見到羅恩？」

「早上。完全不用擔心。到時候他會神清氣爽，煥然一新。」

除了自助餐廳之外，這棟大樓還有一整層是臥房。我不知道沃恩如何幫我安排專屬臥房，我怎麼有權進入這安檢重重的大樓。西西莉住院時他就預謀要抓我了，只是沒料到他兒子沒有拋棄我。西西莉和林登在這個計畫裡的角色為何？他把他們留在姨娘那裡，但他們會知道這個地方嗎？我們回去後事情會怎麼發展？

「妳看起來疲憊不堪。要是妳想的話，洗個澡，好好休息。享受美景。我早上再過來。」沃恩說。

我的臥室和大樓其他地方截然不同，光線柔和，很溫暖。床鋪豪華舒適，鋪著金色綢緞的寢具。

我踏進房，背後的門關上時，我聽到上鎖的聲音。

第二十二章

入睡之前，我想起監測著羅恩生命跡象的護士。我以為她是第一代，但也許並不是。說不定她只是出生然後長到某個年紀的人而已。說不定就是這樣。

這是哪門子的想法。

我累到連夢都沒作。

敲門聲把我驚醒。日光穿透玻璃帷幕，灑滿室內，我還得伸手遮眼。

「萊茵？妳醒了嗎？我可以進來嗎？」是羅恩的聲音。

「可以。」我說，起身坐直。

他帶上門，在床邊坐下。現在我面前的他，眼神明亮、臉頰紅潤，絕對想不到昨天傍晚他那形容枯槁的模樣。

「真抱歉不得不讓妳看到那些。」他卸下肩頭背包，拉開其中一個口袋的拉鍊。背包上繡著蓮花。「艾許比醫生今早告訴我，妳也接受過同樣的實驗手術。他說即使不全然出自於妳的意願，妳卻表現得相當出色。」

相當出色。沃恩是怎麼成功說服我哥，去相信這一切都沒問題？最糟的是，我開始瞭解沃恩的手法。我開始看到事情的另一面：一心只想拯救世界的醫師和愛管閒事的媳婦，媳婦老是阻撓醫師的企圖，所以必要時必須加以約束、跟蹤、下藥，因為世界在危急存亡之秋。

幫助我的前公公，還是回到我再熟悉不過的凋零世界？我不知道何者比較糟。我開始清醒，心中充滿既神聖又恐怖的感受：我內心的某部分已經改變。

「他承認，把妳蒙在鼓裡也許是錯的。」羅恩說話時垂著頭，語調就事論事，但我瞭解他，我知道他很自責。他恨沒有把我保護好，恨允許自己相信我已經死了。

「爸媽過世時，我不再相信他們畢生的所有努力。後來，妳也消失了，我花了一陣子才把他們的東西從埋藏的地方挖出來。我不是想要瞭解他們的研究，只是想讀他們書寫的文字，想追憶身為他們子女的感覺。」

「羅恩……」

他慢慢往床中央挪，移到我身旁坐定，手裡握著母親的筆記本。

「一直以來，我都扮演照顧妳的角色，但是我不應如此。妳跟我一樣不過是個孩子。妳有權看看這個。」

他翻開筆記，如此筆記本就落在我們的大腿上。我還沒看到字，只看到他正用手撫平筆記本的邊緣，然後他把雙手移開。

我從來沒看過，也還不知道內容代表的意義，但我認得出媽媽的筆跡。

我因為緊張，使得眼前的字模糊一片，幾秒鐘後我才能定焦，好好讀文字。

一如往常，她的文字還是超乎我腦袋可以理解的範圍。我哥哥才有科學頭腦，但我還是硬著頭皮讀。我反覆讀了幾頁有關受試者A和受試者B的紀錄，他們顯然是出生在我父母實驗室裡的小孩。受試者A，女性，哭聲響徹雲霄，但學說話進展極緩慢。受試者B，男性，看不出來他對任何外界事物有注意。到了第五頁，兩位受試者皆已死亡，我父母的化學花園計畫第一代宣告終止。

第六頁有兩位受試者的照片。他們並肩躺在搖籃裡，臉色蒼白，了無生氣。從他們空洞、不能聚焦的眼神看得出來他們全盲。

我和我哥出生之前，母親產下過一對畸形的雙胞胎，只活了五年。在這之前我從未見過他們，我多麼希望自己沒看過，因為這個影像永遠會糾纏著我。

他們看起來簡直像極了羅恩和我。和我們小時候一模一樣的綿細金髮，一樣虹膜異色症的眼珠，只是了無生氣。彷彿是我們的屍體。

我發現自己的手在抖，但我仍繼續讀下去，激動莫名。我翻著筆記，跳尋著對我有價值，我能理解的文字。

化學花園計畫第二回，有一組新的受試者A和B。照片中兩個胖嘟嘟的健康嬰兒躺在藍色床單上，生氣蓬勃。我一下就明白了：左邊的嬰兒是我。接下來幾頁裡，我哥哥和我分別是受試者A和受試者B。我們學爬、學走、會講話，進度都超前。顯然我們能存活，媽媽此時承認，她和爸爸甘冒風險給我們取名字。羅恩，她寫道，容易暴躁，大發脾氣。在這一頁，他三歲；後來他們發現他愛發脾氣是因為持續中耳炎的疼痛感所致。萊茵難以分辨現實和幻想。最近她會講臥房牆壁裡住著小孩的故事。結果發現是從通風孔鑽進去的老鼠。

我繼續讀有關我哥的脾氣，還有我和隔壁小女孩交朋友有多危險。我太容易相信人了，我媽寫道。我很不幸遺傳她的好心腸，那在一世紀前會是種美德，她在括弧裡註記。

然後我染上肺炎，肺部積水。這我還記得。我記得浴室裡的蒸氣浴，浴缸前生鏽的水龍頭。第二代在大限來臨之前生病是很罕見的，尤其是病得像我這麼重。或者，這不是肺炎，我媽寫著，是我對實驗藥物的不良反應。我哥是後頸起疹子，但也僅止於此。男性有較佳的免疫系統，因為這個病毒，他們的基因裡某部分比較優秀。他們有多五年的壽命可活，屆時身體才會停工。媽媽的筆跡至此開始凌亂，她有了重大突破。我無法識讀她的長篇大論，因為所有的字都扭曲難辨，很多字重疊在一起，很多字被劃掉。她的女兒可能會因不良反應而喪命，但在厚厚的筆記中她沒有女兒。只有受試者。

好多好多字。我好像會在那些不懂的內容中泅泳沉溺，要專心愈來愈難。

我們都是實驗。我哥和我都是。第二回。存活下來的雙胞胎。而且自從爸媽過世，我們始終是未完成的實驗。沃恩可以從他們的遺留之處接手，進行自己的實驗，但我們永遠不會知道爸媽原本要做的是什麼。

妳和妳哥人生註定不會平凡。我讀不下去了。現在不行。

羅恩發覺我的感受，於是把筆記闔上。他說：「沒有必要一字一句都瞭解，艾許比醫師已經全部讀過，他甚至嘗試要複製部分的成果。他說筆記的內容在當時可是超越時代的。他認為他們在專業上朝著這個方向走下去，必能有顯著貢獻。」

我用微弱的音量說：「他們本來就很有成就。」

「我不是那個意思，萊茵，妳知道我愛爸媽。」

我的確知道，但我得聽他親口說。

我往回倒在枕頭上，用手臂遮眼擋陽光。我喃喃說：「天啊，這一切都是真的嗎？」

他在我身邊躺下，重量稍微搖動了床墊。他過一會兒才出聲：「其實我一直都覺得妳還活著，我還以為自己要瘋了。」

我用手肘支撐起身體，看著他。「但是現在我在這裡了，你可以不用再摧毀實驗室了。你可以不用再讓大家覺得希望不存在。你不用再聽沃恩的命令行事了。」

他擠出一抹微笑，但目光在我的臉龐上下移動時，笑容也隨之消失。「現在別談這個，先回到我們都還活著的事實吧。」

我又躺回他旁邊。「我們活著，不是嗎？」我說。我不知道為什麼此話讓我發笑，但他也笑了。窗外交通號誌燈顏色變換，居民打開窗戶；鈕釦扣上，鞋帶繫妥；有時鐘和日曆；

釣魚線拋入水中。

這是個值得奮鬥的世界。放火燒掉殘破的碎片，然後重新開始。

「此事攸關我兒子和孫子，記住這點。」我登機時沃恩對我耳語。

我們飛上天際時，我看著世界消失在我們底下。我看著城市隱沒在沙塵裡，海水不斷沖刷著沙灘。

「好像爸爸的明信片。」羅恩說。

一模一樣。好像我父親的明信片變得栩栩如生。我們往雲霄裡去，這片異鄉土地變得愈來愈小，感覺很奇異。想到這片異鄉土地上住著陌生人，感覺也很奇異。

飛行一小時之後，沃恩埋首於他的筆記當中。他塞了耳塞，背對我們，要求不受打擾。

「他常這樣，我只能想像他腦袋裡在想什麼。」羅恩說。

過去這一年來，我花了好大力氣不想知道沃恩腦袋裡在想什麼。

「你感覺如何？」我問。

他向後伸展手臂，放到椅背上。「很好。還有，要跟妳說一下，其他人沒一起來是有原因的。這裡的事情不能對外公開。其他人不知道噴射機，也不知道夏威夷，更不知道從昨天開始我們對妳說的任何一件事。」

「他們不會起疑嗎？」我說。

「人民需要有人出來領導，但那兩個人需要覺得自己是偉大計畫中的一員。他們知道我和艾許比醫師合作。他們純粹以為是因為我在幫他除掉競爭者。」

「那個女孩似乎很喜歡你。」我說。

「碧？她黏著我不放。」

我伸手取水杯時，他盯著我的左手瞧。「你在想我的婚戒哪裡去了。」我說。

「的確想過。但我說話算話：如果妳還沒準備好，不用談那件事。」

「我們已經宣告婚姻無效了。」我說。我喝了一小口水，卻依然口乾舌燥。要怎麼述說我與林登的婚姻？應該略去珍娜和蘿絲不談嗎？目睹西西莉生產的恐怖？還是他早就知道這些事情？我的姊妹妻全都是沃恩研究中的受試者A、B、C嗎？我無法承受她們被簡化成那樣，我也無法為她們討公道。

「我逃跑了，並不是因為他讓我不幸福，只是因為我想回家。」最後我這麼說。

「妳一個人長途跋涉回到家？」

我縮起膝蓋，頂著胸口，看著窗外白雲，覺得臉頰發燙。「有個侍從跟我一起逃跑。我……」

不知道他是死是活。我原本要這麼說，但嘴唇發抖，口乾舌燥的感覺被鹹味取代，視線開始模糊。

「嘿。」羅恩說。他摸著我的肩，那一瞬間，我四肢癱軟，涕淚縱橫地倒在他身上。不只因為蓋布利歐，還有因為所有的一切——蘿絲的金髮從蓋著她屍體的床單下散落，珍娜的最後一口氣，西西莉奄奄一息倒在林登臂彎中。還有那些早晨，我醒來時領口被丈夫一夜的淚水濡濕。是因為林林總總所有的事情都因一人而起，一個我斷定邪惡的人，但那人卻讓我見證了我童年想像的世界。我們正飛離那個世界，而我不知道當我們降落時，等著我們的是什麼。

羅恩說：「嘿，噓，沒關係的。」他聲音如此溫柔，讓我更泣不成聲。即使我們都已長大，即使他穿著不同的衣服，也不完全是我離開他時的樣子了，他卻是我唯一的依靠，我好害怕有什麼厄運會朝我們撲來。

他以前從不曾用哭來解決事情，但現在卻讓我哭個痛快。他摟著我，下巴靠在我頭上。不知道他是不是也感同身受。

航程接近尾聲時，羅恩睡著了，我猜想，他對昨天下午接受手術後的感受並沒有說實話。他總是把痛視為軟弱的象徵。

他的頭斜倚在我肩上，不時磨牙，我從不知他會磨牙。我端坐不動，以免驚擾他。

我翻著媽媽的筆記本，動作盡量放輕。羅恩和我，受試者A和受試者B，是試管嬰兒。

我們是雙胞胎並非意外，爸媽需要一男一女。筆記本中許多內容都很難讀，或是超出我能理解的範圍。有很多的曲線圖，頁面空白處有關於鈇元素的筆記。總之，歸結起來就是，我們因特定目的而誕生。我們出生的原因和林登出生的原因一樣——被治癒。林登因為父親的試驗治療而生病，另一方面，我也是如此。

如果爸媽沒有喪命，他們的絕望會隨著我們年紀增長而變強嗎？他們會贏得總統的注意嗎？他們會採取和沃恩一樣的手段嗎？還是他們早已開始執行了？

羅恩和我當初把爸媽的遺物埋在後院裡，回想起來真是明智之舉。現在再回頭希望這些東西沒被挖出來，已經太遲了。

噴射機在陌生的跑道上降落。但放眼望去，地平線上的蕭瑟與荒蕪並無不同，萬物都籠罩在天剛破曉時的濛濛霧藍之中。

羅恩醒了過來，挪開身體。我闔上筆記本，塞入他的背包內。

「我們在哪裡？」我問。

「離家不遠了，我們要回家。」沃恩回答。

「家？」我說。哪裡都是家，哪裡也都不是家。

「是的，當然。」沃恩說著站了起來，往機艙門走去。「妳總是有家可歸。我早告訴過妳了。」

第二十三章

羅恩不斷眨眼，坐得直挺挺地，努力不要在禮車上睡著。儘管一直處於恐懼焦慮的情緒中，我也覺得自己快撐不下去了。

「我們的羅恩可是第一次見到官邸喔。」沃恩說。我們的羅恩。我不知道該怎麼平息內心的怒火。「等到你們有機會歇一歇時，妳一定要帶他四處看看。一切都和妳離開時沒兩樣，即使是那張令人看不順眼的彈簧墊。」

我從深色車窗望出去，官邸的大門就在前方。我們四周環繞著樹木，有些是真的，有些是全像投影，刻意要製造從裡頭出不去的幻象。大門敞開，我們直直開過虛幻的樹林。

「妳之前住在這裡？」我們開過迷你高爾夫球場時，羅恩問道。不知道我試圖逃跑時受傷流的血是否還殘留在風車上。

「對。」我說。

沃恩開始高談闊論，說著他有打算再給馬廄添幾匹馬，想知道我的看法。他似乎沒注意到我根本沒答腔，又繼續說著玫瑰園在炎熱的夏日花團錦簇，又說這時節真適合泡泳池。不過現在還不是游泳的時機，他說。至少不要現在，再等等。再一陣子就有時間做什麼都行。

「時間」這個詞，對我來說已不是原本的意思了。

我們從燈光昏暗又空無一人的廚房進入官邸。從前我和丈夫與姊妹妻共聚一堂時，主廚此時已經在準備今日餐點，忙得團團轉了。西西莉懷孕後期對許多食物都噁心反胃，症狀嚴重的日子，她甚至會退回四盤動都沒動的早餐。

沃恩帶我們走進電梯。蓋布利歐就是在這裡按下暫停鍵，好讓我說出怎麼被迫成了林登的新娘。沃恩當時是否正在竊聽，蒐集資訊循線找到我哥？回想過去，我真是愚蠢至極，才會在這幾道牆間傾吐祕密。

電梯門打開，我還以為迎面而來的會是妻妾樓。即使我成了大老婆，得到專屬的鑰匙卡，我能夠進出的也仍只有妻妾樓和一樓。但這次眼前出現的是完全不同的樓層，沒有薰香的味道，而是一股說不準的皮革與香料混合味，有點類似收納我父母遺物的皮箱裡頭的味道。

我從來沒見過這個樓層。深褐發亮的硬木地板上，並沒有鋪豪華地毯。綠色的牆面上裝飾著擺在金框中的照片。我馬上就認出年幼蘿絲與林登在香橙園玩耍的那張。漫步走廊，我看著他們一起玩，手牽著手背對相機鏡頭跑走。我看著他們結婚，蘿絲身穿波浪翻騰的白紗禮服，禮服套在她孩童般的骨架上，看起來有點荒謬但又出奇地美，林登略顯笨拙，專心地把婚戒滑進她的手指上。

在走廊的盡頭，他們的故事以一張前額緊貼的照片作結。他的手放在她隆起的腹肚上，但這張照片快門按得太急，她永遠只是即將微笑的表情。

羅恩沒在看照片。他的眼神陰鬱渙散。「羅恩？」我說。

「嗯？」他抬頭，但沒有面向我。

沃恩打開了我們面前的房門，門後的臥室和妻妾樓的臥房僅有一點不同。牆壁上留有方形的淡色痕跡，以前那裡曾掛著幾幅照片。「我猜你可能累了。」沃恩說，伸手環著羅恩的肩，帶他走向床邊。「這房間以前是我兒子的，但現在即使他在家，也不太愛進來了。太多回憶了，我想。」

房間裡沒有半點林登的痕跡。我想像得到空出來的地方以前的擺設。

羅恩爬進被子裡，幾秒就睡著了。沃恩幫他把被子拉到下巴處蓋好，好像我哥是他悉心照料的孩子，而不是遭受恐怖手術的受試者。

沃恩說：「他有妳的熱情，他能自己站立那麼久的時間，我也倍感訝異。視網膜手術所用的麻醉劑量，會讓一般人手瘓腳麻使不上力至少兩天。你們屢次超乎我的預期。」

我看著羅恩向左側躺，他習慣這樣睡，當我們同睡一張床時背對著我。

「妳看起來也累了，我本想帶妳去妳房間，但我希望能先有個機會談談。我有東西要給妳看。」沃恩對我說。

看過了繁榮的夏威夷市景、我爸媽的筆記和我哥之後，我想不出還有什麼漏掉沒看的。

但找出答案必定比獨自面對妻妾樓好過，所以我同意跟他走。

我忍不住好奇起來，走廊兩側緊閉的門扉後到底藏著什麼，不知道當我被囚禁在妻妾樓時，我頭上和腳下的樓層每天都發生什麼事。這一層幾乎遺世獨立。

我們走進電梯，幾秒鐘之後電梯門在地下室開啟，我並不訝異。這次化學藥劑味和閃爍的燈光已嚇不倒我。我永遠不可能相信沃恩，但我能感覺事情已幡然改變。世界已不是我過去想的樣子，我哥在樓上沉睡，我篤定這次不會再被這個地方傷害。

這裡一片靜謐，靜到我可以聽到女孩們睫毛上的冰晶碎裂與墜落的聲音。眼睛不再眨動的女孩，過去編著我髮辮的女孩，睡夢中手腳環抱著我的女孩，在我稀有的自由夜晚問我派對燈光是什麼樣子的女孩。她們在這裡，又不在這裡。

春姑娘在黎明甦醒，

渾然不知我們已逝

不像我的兩位姊妹妻，我還有心跳。覺得自己像個叛徒。

我們邊走，沃恩邊說：「導致妳自殘的幻覺非常有意思。妳哥哥也有做惡夢的情況，我有請他紀錄下來，但他卻……抱歉我找不到更好的字眼，神智正常。妳就不是這麼一回事了。」

他把我綁在床上，逼迫我吞下大量藥物，作無止境的紀錄。和我作伴的只有我那病重虛弱的貼身傭人，她自己情況甚至更糟。現在沃恩竟然敢跟我談神智正常？

「這次我想試點別的，我想讓妳享有更多自由。我恍然發現，之前把妳當囚禁的動物對待。現在妳接受治療的同時，我希望妳能和妳哥與我一起旅行。妳一定會樂在其中的。」

我不知如何回答。我害怕對自己承認，我也可能願意照辦。我的確想出去開眼界，我開始相信他尋找解藥的方法。

沃恩說：「妳不必現在回覆我，在這之前，還有我兒子與孫子的事要解決。」

我們在一扇緊閉的門前停步，我心噗通噗通地跳，手心冒汗。門後不管是什麼，必定是談判的籌碼。

我聽見自己說：「我不能強迫他們回來；林登必須自己決定。」

沃恩說著，用指節輕叩我的鼻尖，「妳太謙虛了，妳還在拒絕承認對我兒子的影響力。還有，也許更重要的是，對妳姊妹妻的影響力。」

「西西莉？」我說。

「我發現讓林登和鮑文離家的最大幕後黑手就是她。這真是出人意表，因為她以前可聽話得很。」

我絕不會用聽話來形容西西莉，但我猜她以前對沃恩的確言聽計從。沃恩扮演她生命中缺席的父親角色，贏得她的信任；而當她發現自己被利用時，就盡快躲得遠遠的。一切都喚不回她了。

「她會聽妳的，她會跟妳到天涯海角。」沃恩說。

「她不會跟我回來這裡。」我說。

「我們最好期盼她會。」沃恩說著，打開了門。

一開始我認不出眼前看到的是什麼，我太害怕了不敢定睛去看。但眼前的房間就像上次我被囚禁的房間，牆壁上有假窗，打開來就會出現假的窗外遠景。但現在那窗形螢幕卻是關閉的，畢竟沒有人看又何必打開？

好多部機器環繞著病床，所有線路都連到床上一具靜止不動、只剩規律呼吸的軀體。有色的液體流經靜脈注射管，讓細管前後搖晃。他的皮膚顏色死灰，我的大腦無法辨識那是什麼。不能接受此事發生，躺在床上的男孩是我獻出初吻的男孩，這個男孩告訴我地圖集裡面有條和我同名的河。

蓋布利歐。我衝到他身旁。

但我的存在無濟於事。我撫摸著他的臉，他卻無知無覺。他甚至不知道我在這裡。

「你對他做了什麼？」我說。

「他看過我最珍貴的研究。我不能這麼讓他到處亂跑。」

「他在這裡多久了？」我的手抓緊床單握成拳。

「哦，老天。」沃恩說，好像要回想是件麻煩事。「妳在這裡多久，他就待多久。妳一定不知道，他和妳一起搭車回來的，整路上妳都睡得跟死人一樣。不過他沒事，妳不用擔心。這是誘發性的昏迷，隨時都可以退藥。」

「那現在就退。」我咬牙切齒地說。

「我確定一旦他醒過來，我們和樂融融的大家庭就可以團圓了。當然，只要等我兒子回來。」

「羅恩。」我輕聲喚他。以前只要小小出個聲，就能讓他筆直坐起。一點細微聲響就讓他進入高度警戒。但沃恩的治療藥方已經改變了他。我爬到床墊上，搖著他的肩。「羅恩。」

他皺眉，幾秒後睡意才從眼角消失，神智變清明。他看到我驚慌失措。「怎麼了？」

「我得離開。」我說。

他坐起身來。「離開？去哪裡？」

「我得去找我前夫。」前夫。這個詞聽起來太怪太簡單，無法道盡一切。

「妳在擔心什麼事嗎？我跟妳一起去。」

這句話是目前唯一的安慰。「你不行。戶……」我遲疑了。要怎麼稱呼這位始作俑者？沃恩戶長？艾許比醫生？到頭來除了一開始學會的稱呼之外，其他都很怪。「沃恩戶長說你得留在這裡休息，他才能監看你的治療進展。」

「那太扯了。我狀況很好。我去找他談……」

我說：「不要，你就照他說的做吧。拜託。」

我無法抬眼直視他。我不能讓他看出我話有未盡，這幾堵牆無法保密。我不能讓他看出我被操弄，不能做出任何會危害蓋布利歐安全的事。

但羅恩早發覺事有蹊蹺。

他把手放在我肩上，低頭看我，直到我抬眼望他。「妳要我同行嗎？」他問。

是。一百萬個是。

「我不會有事的，沃恩戶長派他的司機跟我去。他希望能照料你，確定你狀況良好。」

我沒說出口的是，沃恩希望給我充裕的時間，說服他的兒子、媳婦重回他的魔爪，而我得照辦，否則蓋布利歐永遠都不會張開眼睛了。「你留在這裡休息，我比較放心。何況，就像你說的，沃恩戶長對我們付出甚多。我們應該相信他，對吧？」

羅恩躺回枕頭上。「我不相信任何人，除了妳之外。」

連呼吸都好痛。「那就相信我吧。」我說。

「始終如此。」他說。

他知道事有蹊蹺。

我感覺得出來，又或者我只是衷心期盼如此。

第二十四章

「萊茵！」西西莉衝過姨娘的兩位守衛，一把抱住我，我們轉著圈圈。「傑拉德告訴我們事情經過。妳怎麼可以拋下我們自己離開？我們都好擔心！」

她渾身香水味，像姨娘旗下的姑娘，卻沒沾染腐爛惡臭的氣息。一襲綴滿亮片的洋裝尺寸過大，在她身上晃著。深藍色的眼影讓她的眼睛在眼窩中泅泳。人造串珠鍊掛在脖子上叮噹響。

她擁抱我吐露思念之際，我滿腦子只想著我不願意強迫她回到官邸。我不願她被迫面對謀殺了姊妹妻的人，更別說他很可能也是西西莉流產的元凶。我正鼓起勇氣，要向她保證，我會和她一起回官邸，會確保她的安全。我試圖要找出貼切的字詞，但怎麼找都只有罪惡感。萬一蓋布利歐有個三長兩短，都是我的錯。萬一西西莉遭遇不測，也是我的錯。

我們從擁抱中分開，她眨眼，眼睛在那汪深藍中消失又出現。她說：「妳穿著那件綠裙，妳回去過，對不對？」

「對。」我不假思索地回答，乾脆承認。「他希望大家到里德家見面，我們可以去接鮑文和愛兒。」我們站的地方和姨娘有段距離，姨娘站在一排守衛中看著我們，但沒走過來。距離夠遠，她聽不到我們交談，沃恩的禮車停在視線不可及之處，司機正在等我。我們獨處，不會被偷聽，也不會被錄音，或許是我唯一的機會可以告訴西西莉有關蓋布利歐的事，還有我在夏威夷所見，告訴她那駭人又美妙的事實：那裡居民的壽命遠比我們所相信的還要長得多。

我想說。我渴望告訴別人，即使是像我一樣無權無勢的小姊妹妻。但我知道說不得。她過去曾得知我的祕密，代價相當慘烈。這個祕密太寶貴了，我不能說。

「我找到我哥之後，沃恩戶長就逮到我了。」我說。「我哥現在人在官邸。說來話長，我很想跟妳說，但是……」

「妳是來說服我和林登回家，對不對？沒關係的。我想過這件事，林登和我也談過，遠走高飛，把鮑文丟著不管，我們不能繼續這樣下去。對我們最好的選擇，就是回家。」她再次擁抱我，活力充沛，我不記得上回她這麼開心是什麼時候了。「好高興妳回來。」她說。她拉著我往姨娘的嘉年華走去，大聲叫林登。

我們走過時，姨娘一把抓住她洋裝背後。「小聲一點，孩子！」她咆哮著，我覺得應該是俄羅斯口音。「妳想吵醒我的姑娘？」我沒印象聽過她用「孩子」叫人，通常都是「蠢ㄚ頭」或「廢物」。

「還有把那身洋裝脫掉，妳瘦巴巴的，洋裝都拖地弄髒了。」姨娘說。

西西莉扯著裙襬，氣鼓鼓的，但還是神采奕奕。我本來以為要多費點唇舌才能讓她願意回官邸，但現在看來林登已經在我回來之前就說服她了。她這麼死心塌地的人，為林登做什麼都願意。

我們在旋轉木馬找到林登，我免不了懷疑西西莉願意回到官邸，也是因為她想盡可能把林登帶離有蘿絲回憶的地方，又或者她願意假裝林登的父親其實並不如她所想的壞，因為這樣林登至少還能有個父親。

林登從中心支柱的倒影反射看到我。「傑拉德說妳找到妳哥了，我真為妳高興。」

「謝謝。」我說，聲音和他一樣空洞。我們總是有同樣感受。「你父親派車來載我們。他希望你能回家。」

聽聞此語，他轉過身來。目光無神，似乎我離開之後就沒有睡過好覺。「是嗎？西西莉，妳該把洋裝和那些飾品還回去了。」

西西莉知道這是為了支開她，僅此一次，她爽快地離開。

她走遠後，林登欲語還休，話沒出口。

「我也得知了我父母的一些事，我不太喜歡的事。」我說。

「小時候，我讀二十一世紀的歷史，我想知道什麼是癌症、肌肉萎縮症和氣喘。我想知道什麼事情這麼糟，糟到讓我們極力想根除。妳知道癌症用藥有毒嗎？如果藥物有效，父母親寧可毒害小孩，也不願見死不救。我一直在思考此事，也在想妳對那首詩的評論，思考幾百年前的人一定也在質疑自己為何存在。我認為人類始終很絕望。我認為一直以來一定是兩害相權取其輕，尤其當另一害是死亡時。也許為人父母的感覺便是如此。」他說。

「你對鮑文也是如此嗎？」我問。「如果你評估此舉能幫助他，你會傷害他嗎？」

「我從不需要下這樣的決定，不知為何，我就是無法揣想此事。」他說。

「也許這就是絕望。」我說。「也許我們無法坐視一切分崩離析而不努力。我們無法對心愛的人放手。」

他看著我，他的眼神在陽光底下又活過來，閃爍著碧綠與金光。「有時候可以的。」

林登跟在西西莉背後，我告訴他我一下就來。我們不可能再回來此地了，離開之前有個人我必須見一面。

我在綠帳篷裡找到她，她整隻手肘浸泡在橙色染缸裡。曬衣繩上掛著的衣服在滴水，滴到她頭髮上。

紫羅蘭頭抬也不抬地說：「妳知道嗎？蠢姑娘我見多了，但還沒有一個蠢到離開這裡後又回來的。」

她的深膚色是綠染劑造成的。厚重的銀粉眼妝與霧白亮彩唇膏很相配。

「我似乎沒真正離開過。」我說。

她大笑，撈起一團破布，晾在曬衣繩上。「那男孩就是妳努力想逃離的暴君，嗯？」

「事情沒那麼簡單。」我說。她詭異的笑讓我不自在。「他從未傷害我，但這理由不足以讓我留在不該留的地方。」

「妳不想當個漂亮擺飾。」紫羅蘭說，同時把一件小女孩的洋裝丟進大缸裡。「姨娘現在一定進入橙色時期，小孩聽她的命令做事時，她喜歡他們服裝顏色一致。「我懂了。我丈夫也不是暴君。就第一代來看，他外表也不錯。」

紫羅蘭結過婚，我倒不那麼驚訝，因為之前我就懷疑過。我知道她在大街上被擄走，我和克萊兒與席拉斯一樣，原以為她被賣入妓院。但她被賣為新娘更合情合理。她簡直是藝術品，齒如編貝，眼神撩人，聰明伶俐。在一池嘴歪眼斜的姑娘中，她是有價珍品。

「我困了好幾年，不覺得自己有機會逃走。要不是為了瑪蒂，我會一直待下去。她在我肚子裡時就有點不對勁了。我們發現時，我丈夫希望墮胎，他覺得我們可以重新再來，生個沒畸形的寶寶。所以我離開了。心想值得為此冒險。」

「妳知道我會送她回紐約，是嗎？」

「我希望。」

希望，那危險又光明的東西。此時此刻希望應該已經絕跡才對，但我們卻繼續呵護它。失蹤的女孩們，卻發現自己仍在呼吸。成功回到家的女孩們。回不了家的女孩。我們誠心盼望或許無緣見到的事物，我們用雙手緊握希望，因為那是少數別人偷不走的東西。

「她在那裡交了朋友，她應該很快樂。」我說。

紫羅蘭擰乾小洋裝，橙色染劑像血一樣，從她指縫滲出。「我很高興。」她說。

我想建議紫羅蘭，趁姨娘有點人性時離開這裡，但轉念一想，紫羅蘭完全沒表示她打算要離開。她已經在此生根了，為衣服染色，為姨娘最新的念頭設定氣氛。

她沒對上我的目光，我懷疑她在濃妝底下的皮膚已又灰又黃。我懷疑她的時日已接近尾聲。所以我只說了：「我和妳家人相處了一陣子，他們希望妳知道，大家都很愛妳，葛蕾絲。」

提到她本名的那一瞬間，她愣住了，但也只有那一瞬間。她旋即繼續在染劑中搓揉布料。她說：「謝謝妳護送瑪蒂回家，希望妳找到尋覓已久的事物。好好照顧自己，萊茵。」

她眼睛濕濕的，我知道她不想讓我看到。

「保重。」是我唯一說的話。

西西莉和姨娘站在大門邊，捏著彼此的手低語著。林登站得遠些，回頭凝視摩天輪。他說：「很壯觀，對不對？看著摩天輪，彷彿可以聽到不時傳來的笑聲。」

「的確是。」我說。

西西莉看到林登和我，就一把抽出手，向我們揮著。眼皮上的深藍色已經抹掉，變得灰撲撲的。

「她們在講些什麼？」我說。

「她們成了朋友。」林登說。他對西西莉一直採取保護之姿，但好像對一切都意興闌珊。其實，應該說他似乎從未清醒。他的心已碎，只有蘿絲知道如何修補。

我們走向禮車時，西西莉給我看姨娘送她的吊鐘花銀色小皮包，裡面塞滿了化妝品。我不明白她為什麼這麼興奮，也許是因為快要和鮑文相聚了。回程路上，她開口閉口都是鮑文。她倚著林登，小皮包掛在車上搖晃。她細數著最想念兒子什麼部分，他的鬈髮、他的笑聲、淡褐色眼珠每天變化的不同色彩。她猜想兒子這段期間是否開始學爬。

林登看著我極力保持清醒。我今天下了飛機、發現蓋布利歐身在噩夢之地、對我哥說謊、一路從佛羅里達搭車至南卡羅萊納。我神智清醒，氣憤難平，但全身肌肉卻已不聽使喚。世界以慢動作運轉。聲音隱隱約約，感覺遙遠。我聽到林登發出類似「過來」的聲音，感覺我的臉頰靠在他膝蓋上，然後世界的一切驟然消失。

顛簸的路面把我驚醒。禮車載我們走上我認得的鄉間小路。車子在里德的房子前面停下，司機的聲音從上方的擴音器傳出，他說沃恩戶長吩咐我們在此等他。他有重要實驗，抽不了身，並囑咐傍晚以前不受打擾。

不知道這個實驗是羅恩還是蓋布利歐。

門鎖一開，西西莉就打開車門往前門跑去，呼喚著愛兒和里德。

我全身僵硬，林登耐心等我蹣跚步出車外後才下車。他關上車門，禮車開走之後，他轉向我。「還好嗎？」他問。

「還好。」我答。

「妳說謊。」他把我頭髮撥到肩膀後，指節拂過我的頸，我不知道自己怎麼還能站立。我想倒入他的懷裡，想對他傾訴一切。我全身痠痛，心臟無力，卻對所見所聞雀躍不已。想到有個更好的世界，甚至比以往承諾的要更好，就讓我倍感興奮，同時卻也有所恐懼。

我想要帶他一起去。希望他見證我們的人生不只有面臨死亡和被拯救而已。

「林登？」

「怎麼了？」他問。

「我有東西想讓你看，等我有能力時。如果我現在就告訴你，你大概不會相信我。」我低頭望著在我們腳踝邊搖曳的草，各色雜草充斥其中。「到時候你可能覺得我瘋了才會出此言，但我一直都在想你之前說的話。我真的很高興我們誕生在這世界。我想不出比活著更重要的事。」

我大膽迎向他的目光，他不苟言笑。「妳需要睡眠。」他說。

他不相信我，但是不要緊。

等著瞧，林登。你會看到城市在呼吸，目睹一天當中天色的轉變。你會看到世界的過去與未來。到時候你就會相信我。

響亮的爆裂聲傳出，像是槍響。我們轉向聲音傳來的方向。再一聲，又另一聲。「快來。」林登說，我們朝聲音方向跑去，在房子後面，里德拿一把斧頭朝他巨大的棚屋走去。

「里德伯伯？」林登說。

里德看到我們時停步揮手。「嘿！你們回來了！過來幫我。」他說。

「幫什麼？」林登問。

「飛機準備要飛了。」我說，大感興奮。

「妳說對了，寶貝！其他的小屋裡還有斧頭。」

西西莉從房子裡走出來，鮑文跨坐在她的腰側。「什麼東西那麼大聲？怎麼了？」她說，把寶寶抱給愛兒。

「我們準備起飛了，小鬼。」里德說，舉起斧頭劈向棚屋，這一劈，整間棚屋震動。

我猜不準林登是否贊成此舉，但他還是加入了。我們忙了大概近一小時，滿頭大汗，氣喘吁吁，這棚屋破破爛爛，一副吹了就垮的樣子，要摧毀它竟然還得花這麼長的時間，真是不可思議。

里德說：「再推一把應該就行了，小鬼。倒數吧。」

我們擠出最後一絲力氣，身體抵著牆使勁推。西西莉的腳在草上滑了一下，她反踢讓自己保持平衡。

這輩子我看過許多毀壞的建築物，但我從沒見過倒塌的過程。整座棚屋往一側傾斜，像是要闔上的書頁，實在很壯觀。林登把西西莉和我拉走，我們目睹牆壁碎裂，飛機的形狀浮現。殘壁斷片淹沒在粉塵煙霧之中。

里德趕緊清理飛機上所有的碎片殘骸，西西莉忍不住大笑，因為這是她看過最壯觀的東西。之前里德說他藏了一架飛機在棚屋裡時，西西莉還半信半疑呢。

等我們清理完機翼與機身上所有的碎屑之後，太陽也快下山了。「天色還沒暗，還是可以飛。」里德說。他從敞開的機門爬進機艙。

「你確定發得動？」西西莉問。

「待會兒就知道了。上來吧。」里德說。

西西莉向前，但林登拉住她的手說：「不要，親愛的，不安全。」

西西莉甩開他的手。「你想待在下面就自己留下吧，但我已經厭倦你老是攔著我。」

「親愛的……」

西西莉發覺傷害到林登了，她語氣變柔軟。「一定很好玩的，小小冒險一下。」

林登把西西莉拉到面前，他彎身，而她踮起腳尖，兩人額頭緊貼。「我一度差點失去妳。」他說。

「不會怎麼樣的。」她吻著他。「我們什麼時候還有機會像這樣冒險一下？」

里德受不了他們這樣卿卿我我，逕自啟動引擎，機鼻上的小螺旋槳開始轉動；地面震顫，我也感受到一波波震動傳送而來。黑煙廢氣使大家嗆咳個不停。「膽小鬼！」里德說。

他正要關上駕駛座旁的機艙門時，我一躍而上，鑽進飛機裡。

「我去。」我說。登上這架破銅爛鐵拼湊而成的飛機，沒柏油跑道，又是里德來飛，還算不上這週以來我經歷過最瘋狂的事。

「這裡連跑道都沒有。」林登提出反對理由，試圖喚起我的理智。「而且我伯伯從來沒開過……」

里德關上門，拍拍他身旁的座位。駕駛艙空間狹小，連站直都不行。儀表板多到數不清，數支拉桿方向各異，但踏板至少看起來和汽車的有幾分相似。

「妳可以當我的副駕駛。」他說，再次指著他身旁的座椅。

引擎讓整架飛機震動。我心跳加速，充滿期待。我想飛到地平線的那一端，如同想呼吸一樣自然。這輩子我都站在地面，抬頭仰望。許多午後時光我都賴在珍娜的彈簧墊上，我使勁蹬跳，凌空躍起，愈高愈好。而我雖已嚐過飛入雲霄的感受，這種感受卻從不嫌多。

不過，林登的話還是有道理。「你開過飛機嗎？」我問。

此話讓里德些許不悅。「我讀過相關資料，知道這些儀表板與開關的作用。我以前也搭過飛機；妳知道嗎，我小時候坐飛機是很常見的。不要用那種眼神看我。」

西西莉叩著門，里德一打開，她馬上擠進來，林登緊跟在後。「我說服他了。」她說。

林登看起來毫無興致。

「這種氣魄就對了！」里德說，然後拍拍原本說要留給我的副駕駛座。「面對恐懼的最佳方式，就是直視它。這個位子視野最棒。」

林登在副駕駛座坐定，西西莉雙手插進他的頭髮裡，在他頭頂上一吻，低聲說了些什麼。我從玻璃窗的反射，看到他露出緊張的微笑。

這裡沒空間讓西西莉和我容身，所以里德說：「妳們女生得去坐後面，至少在起飛的時候。」

西西莉和我穿過布幔，進入擁擠的客艙，我們面對面而坐，膝蓋相接。西西抓著座椅的邊緣。「我嚇死了。」她說得好像這是世上最棒的感覺。

飛機搖搖晃晃，砰砰砰噴著氣，然後開始滑動。西西莉尖叫著，抓著我的裙子，好像在拉馬的韁繩。透過兩側的橢圓形窗，我們看著長草快速通過，房屋愈來愈遠，愛兒站在草中，彎著脖子護住鮑文的頭，免得我們揚起的風吹得他不舒服。我們直直往前，然後往上升。

我們沒有飛得像沃恩的私人噴射機一樣高，但我們看到了里德家的屋頂，然後高到看不到路面的裂縫、或是草地上的雜草，也分辨不出哪些樹是枯木。萬物看起來都整潔、健康。

西西莉和我從簾子後偷看駕駛艙，里德正大笑著，而林登臉色發白。

「看吧，沒那麼糟。」西西莉說。

林登看起來快吐了。他直盯著鞋。我擠到兩張駕駛座的中間。「假裝我們沒有要在下面降落。」我對他說。「假裝我們要直直飛過海洋，到一個人人都可以活到一百歲的地方。」

他首次抬起眼，望向擋風玻璃。

我們飛過空曠的田野，小小的灰色湖泊，和零星分布的房舍。我們繞了一大圈，最後回到里德家。

林登仍然緊張焦慮到無法言語，但開始感受到他在飛翔，比起我們站在定點所見，這樣天寬地闊的視野見到的世界更大。

我往前傾，手掌罩住他的耳朵對他說：「外面的世界更大。」

他轉頭面向我，我倆的鼻尖差點相碰。他看到我的微笑，知道我有祕密，我想他真的明白。「真的嗎？」他說。

西西莉和里德正在交談，興奮地指著風景，沒注意我們。

「我看過更多。你一定不相信我，連我自己都覺得不可置信。」我告訴他。

他眼中的懷疑混合著希望。一年前，他還不敢盼望官邸高牆之外的任何事物。我想我大概發揮了一些影響力吧。

「從開始以來，我始終不知道妳會帶來什麼驚奇。」他說。

「不盡然都是壞的，對吧？」我說。

「多半是好的，但我已經習慣在不該相信妳時相信妳。」他說。

「給我機會來證明。給我點時間。」我說。

「為了妳，一定。」

他坐直身體，直視機鼻的方向，他臉上開始漾起的幸福表情瞬間消失。從窗戶往外看，沃恩的禮車行駛在通往房屋的蜿蜒小路上。路上唯一的一輛車，從高處看就像一條魚往上游。「我父親。」林登說，於是他最叛逆舉動衍生的快感瞬間結束。他明白不管他跑到哪裡或飛得多高，他總是必須回家。

「真是沒完沒了。」里德發牢騷。「回去坐好，小鬼。我得想辦法讓這玩意兒降落。」

他把西西莉和我趕回布幔後。

飛機本來就在搖晃了，但我們回到位子上時，里德的降落程序讓西西莉和我嚇得抱在一起。我感覺到我們觸地，然後好像猛然衝過里德家後面的田地，我緊閉雙眼，祈禱我們不要撞進房子裡。

我用腿抵住相連的座椅，但當飛機最後震盪起伏時，即使我用盡全力，還是飛過狹小的機艙，西西莉倒撞在我身上。儲物櫃的門片飛開，鋁箔小包的食物與繡著蓮花的手帕如雨點般掉落。

然後飛機停下。引擎熄火，但我們腳下依然有不斷的嘶嘶聲與碰撞聲。

「大家都活著嗎？」里德對大家喊。

我們蹣跚搖晃爬出機艙，倒在草地上。我的肩膀劇痛，但除此之外沒有大礙。西西莉正在檢查手腕，從她最後一秒支撐自己的力道來看，一定痠疼不已。

林登把手壓在太陽穴上，上頭沾滿鮮血，血從他臉的一側流淌而下。

「噢！」西西莉大叫。「你在流血，過來，讓我看看。」

他朝她走了一步。

之後一切都變成慢動作。他抬腳要踩下一步，結果跌倒了。我發誓我可以聽到他骨頭觸地的聲音。

鮮血從他的口中湧出，他雙眼緊閉，開始抽搐。

西西莉跪在他身邊，大叫他的名字，但嚇得不敢碰他。我也嚇得無法動彈。

里德一個箭步向前，但看到沃恩朝我們跑來時停了下來。「林登！」沃恩喚著。「兒子……不要碰他！不要碰他！」他一遍又一遍地說，喘著氣說，低聲說，然後在長草邊跪下，逼得西西莉讓位。她又爬了過去，然後盯著，手足無措。

林登仍在抽搐，發出怪聲，我不確定為何，但猜想他試著要呼吸。而我們當中理應唯一知道怎麼處理情況的沃恩，看起來卻完全亂了手腳。他的手在林登臉龐上方猶疑，想摸他，想安撫他，但他心裡有數。他看得出兒子受的傷比看起來的要嚴重許多。

鮮血從林登的耳朵流出，怵目驚心，難以想像，我心裡一直告訴自己這只是光線在作怪。只不過，我心知肚明並不是。他的嘴巴裡也溢滿鮮血。就要溺死在血裡了。

有男人願意爲妳溺水，算命的安娜貝爾曾這麼說，她的金屬牆和塑膠寶物在我們周圍跳動。

然後林登靜止不動了，西西莉嗚咽哀鳴：「噢天啊，噢天啊，林登。」因為她是第一個察覺林登沒了呼吸的人。沃恩叫她閉嘴，她於是噤聲。他檢查兒子的脈搏，清除他嘴裡的鮮血和泡沫。他摸出斷掉肋骨的位置，雙手握拳壓著林登的胸口，強迫氧氣進入他的肺部。他用過那麼多器材，設計過那麼多設備，調製出那麼多處方，到頭來，卻只能赤手空拳拯救自己的兒子。

這樣是不夠的，連我都看得出來。夕陽西下，小飛機、林登的鬈髮，一切都染上金光。沃恩不放棄，他不斷不斷地急救。但我聽到他的啜泣，低沉的嗚嗚啜泣，我知道一切都結束了。我從沒看過他哭，不知道他也會哭。只有比世界末日更嚴重的事情，才能讓沃恩·艾許比潸然淚下。

第二十五章

我看著沃恩把林登抱在懷裡，或許林登小時候他也是這麼抱的。我看著林登無反應的四肢鬆弛地垂下，已無生氣的嘴微張，那是曾經對我說「我愛妳」的嘴。我看著沃恩抱著他走向車，對司機大吼，司機跑過來幫忙，卻什麼忙也幫不上。我看著車門關上，看著禮車漸行漸遠，愈來愈小，最後不見。

然後此時，此時此刻，我才崩潰，全身癱軟在地。

天黑之後，沃恩返回，前門砰一聲打開。他的腳步聲如雷貫耳，前來興師問罪，他告訴里德他永遠永遠都不會再讓他與孩子們見面了。他口中的孩子就是西西莉、鮑文和我。里德心碎沮喪，不發一語。他坐在廚房裡，周圍都是梅森玻璃瓶，裡頭的西瓜幼苗與小甘藍按照他的計畫，長得漂亮。他一直是維護生命的人，而他弟弟才是做壞事的人。他弟弟殺害生命，刺我的眼，摧毀實驗室。一直以來都是這樣。

我在客廳，坐在黑暗裡，沙發散發著雪茄的味道。西西莉躲起來了，樓上臥房沒有門鎖，所以她搬梳妝臺去抵著門。她甚至沒出來照顧鮑文，鮑文哭了近半小時，愛兒才在圖書室理找了東西吸引他注意。愛兒真是很幹練的保母，她可以打開冷氣空調的教科書，假裝在讀裡頭內容，指著書中插圖，編著關於天使和流星的故事。剛才我專心聽著，她童稚的聲音從樓梯上傳下來，我盯著天花板的裂縫看，這樣才能讓我分心，擺脫腦海中的負面想法。

沃恩像一陣風似地走過我身旁，起先我以為他沒注意到我，但他頭也不回地拋下一句：「叫大家上車。」

紗門在他背後碰一聲關上。我聽到樓板嘎吱作響，我走到樓梯底下時，看到西西莉站在最上層階梯。室內昏暗，我看不清她的臉，倒看得清她亮晶晶的眼眸凝望著我。她肩上掛著吊鐘花小皮包，手裡提著林登的手提箱。我們到南卡羅萊納時帶了衣物和補給品，但留下了鮑文的奶粉與林登的素描板。

「時間到了？」她說。整個晚上她第一次對我說話，這也可能是她成為十四歲寡婦後說的第一句話。

「對。」我說。

「愛兒。」她說，沒提高音量，也沒回頭看她的貼身傭人是否也跟著下樓。

我們沒和里德道別，但我回頭看到他在廚房裡凝視著餐桌。這不是他的錯，我想告訴他。我一心這麼相信，就像我想忘記原本該坐在副駕駛座的人是我，那濺在擋風玻璃上的鮮血應該是我的。

我們走向怠速的禮車時，西西莉很安靜。她整晚都很安靜，不發一語，也未飲泣。但接著她看到在等候的車，看到我們三人幾小時前才從南卡羅萊納坐回這裡的皮套座椅。車子聞起來有官邸的氣味，聞起來像是我們人生過去的一年。

她轉身看著我，似乎要問我是否明白這起惡夢。

看得出來她沒掉一滴淚，不知道這樣的反應是否正常，但我也沒哭。

她開口欲言，但只發出微弱低沉的聲音。愛兒和沃恩在我們後面等著。

「進去吧，我就在妳後面。」我輕聲告訴她。

她點點頭，爬進靠窗的座位，我跟著上車。然後是愛兒，抱著熟睡的寶寶。西西莉看著他。「我們接下來會怎樣？我把一切都給了林登。」她激動地說。

沃恩說：「別傻了，西西莉，妳哪有東西可以給。過去妳一文不值，現在妳也一文不值。」他關上我們的車門。

妳別傻到信他的話，要是我有足夠勇氣開口的話，我想這麼對她說。她咬牙，緊握小皮包的背帶，轉頭看著窗外。

我們回到官邸時我沒看到羅恩，我也不至於蠢到問起蓋布利歐，那樣鐵定會激怒沃恩。我怕他會為了證明某個變態的論點而殺了蓋布利歐。不管怎樣，一名侍從為我們開車門時，沃恩已經不見人影。我們被領著穿過廚房，廚房空曠又乾淨，但隱約有食物的味道。我想沃恩之前必定期待著團圓大餐。

走到電梯前，侍從遞給我一張塑膠鑰匙卡，串在一條銀項鍊上，和林登決定讓我當上大老婆時給我的是同一條。

「沃恩戶長有交代，妳要跟我走。」侍從對愛兒說。西西莉接過寶寶和尿布袋，愛兒被帶走。

世界上只剩一個地方可去了。我刷了鑰匙卡，電梯門打開，我按下妻妾樓的按鈕。

我坐在書房裡，聽著西西莉歇斯底里的哭號，似乎好幾個小時了。她終於找到發洩哀傷的辦法了，但只要我一敲她的房門叫她，她就安靜下來，等我離開讓她自己靜一靜。

我在走廊踱步，懷念薰香的味道，少了那一味就覺得沒有回官邸的感覺。最終我還是爬上我原本的床，就著床邊檯燈的光線，閉上了眼睛。我內心深處的某個東西使我無法召喚出憂傷。我悠悠進入夢境，林登在濕漉漉的夏威夷沙灘上，槁木死灰，雙眼緊閉。影像愈來愈近，像是相機不斷按著快門。一百張失去生命的男孩照片。

我倒抽一口氣，睜開了眼睛。

我聽到門邊有窸窣聲，轉身發現西西莉杵在那裡。她滿臉通紅，絞著雙手。濡濕的紅頭髮黏在臉頰上，像是幾隻瘦骨嶙峋的紅銅色手指正把她往後拽。她張口欲言，但嘴唇抖個不停，只落得淚如雨下。

「過來。」我說，聲音很沙啞。她慢慢走近，我拉開被子，好讓我們一起蓋。靜默良久，她終於說：「只剩下我們了。」語畢她又泣不成聲，我趕緊摟著她，一直說「我知道」、「我在這裡」，因為只要我繼續說，就無暇自己面對：有個陰暗面一直在呼喚著我，但我還不能去。我知道一去就不能回頭了。

她終於哭累睡著了，但是睡得不安穩，淺眠到我的呼吸聲一度把她驚醒。夜色漸深，沒有人來點亮走廊的燈。沒有人送晚餐過來。沒有人把我們囚禁在這個房間，而我竟然會浮出想要重回過去的念頭，實在不可思議。

我從半睡眠狀態中醒來，因為西西莉靠了過來。我背對她，但可以感覺到床墊在動。她的呼吸粗重，和外頭開始落下的豪雨一樣。她編著我的頭髮，以為我還在睡，不想吵醒我。她只是需要摸著我的髮，編了小髮辮再解開，這樣手才會停止發抖。她只是不想一個人。

我躺著不動，因為我也需要如此。

去年我同樣躺在這張床上，半睡半醒，林登爬上床，躺在我身旁。他全身暖呼呼的，聞起來有酒和我們打包回家的巧克力閃電泡芙的味道。他就在這裡探索著我，要我別離開他。

我還以為我都想明白了。我會遠走高飛。我在腦中演練過所有可能的情況，但我從沒想到他會先離我而去。我從沒想過，沒有他竟會這麼痛苦。

我肌肉緊繃，忍不住嚶嚶啜泣，訝異他的名字從我口中迸出。

西西莉也跟著哭泣。我們恐怖的哭聲彼此應和，不知道我們哭了多久。最後她爬下床，浴室的燈亮了，但她把門關上，只從門縫透出一道光線。

她讓水流了好一陣子，我側耳傾聽，她哭聲漸弱，變成吸鼻子和斷斷續續的咳嗽聲。幾分鐘之後她打開浴室門，背光的身影不住地發抖，頭髮和手都在滴水。

「告訴我雙胞胎的事。」她要求。

「什麼？」

她說：「妳和妳哥，在妳爸媽過世後，你們怎麼辦？你們怎麼樣才能繼續過日子？告訴我。告訴我，因為現在這種感受一定會讓我心碎而死。」

上次我告訴她雙胞胎的故事後，她背叛了我的信任。但幾個月前，她個性完全不同，仍容易被沃恩的快樂家庭承諾所脅迫。她現在可有智慧多了。

我說：「感受不至於讓妳死。雙胞胎原本也這麼想，但他們都活下來了。」

「怎麼辦到的？」

我走向她，本想帶她回床上，但她說她需要新鮮空氣。她帶我到走廊，然後進電梯。我們走過迷宮般的廊道，穿過廚房，走到玫瑰園裡。她應該是想在這裡找某樣東西吧，但遍尋不著。

「我不能呼吸。」她說，緊握我們婚禮涼亭的欄杆。她的話說得斬釘截鐵。

我站在她身旁，憐憫又內疚。我回想起那天，我還覺得這個頤指氣使的小新娘是沒有能力有感覺的。

「妳現在就在呼吸了。」我對她說。

她搖搖頭。

「我知道妳的感受。」我說。

「這次妳不會懂的。」她滑向前，臉擱在欄杆上。背脊因為呼吸的重量而起伏。我們四周充滿春天潮濕的氣息，甫停歇的雨讓萬物仍濕漉漉的。她聲音減弱成氣音：「這次不同。」

我不敢碰她。失去摯愛這種經驗我很遺憾曾有過。也許比經歷過失去更糟的，就只有眼睜睜看著同樣的戲碼在別人身上上演——所有糟糕的階段此起彼落，像是必須唱和的合唱曲一樣。

她花了好長的時間才想通自己的心肺血液還是會持續運作，不會停止。感受絕不會置人於死地，不然病毒就不會是我們最大的威脅。

我坐在濕漉漉的臺階上等她，整理自己的情緒。我自己的呼吸不規律，頭暈目眩。我想在滿天星斗中找出形狀，只是今晚怎麼看都看不出來。我想不起星座的意涵。

有一陣子，一切彷彿靜止，如幻似夢。但接著我滿腦子都在想明天清晨會如何。我會整理好床鋪，然後呢？

西西莉過來和我並肩而坐，我們頭倚著頭，我說了雙胞胎最後的故事。其中一個因為悲傷，而在全國到處放火；另一個找到方法去愛俘虜她的人。

第二十六章

從書房看香橙園，視野最好。

早晨是張灰濛濛的相片，鏡頭下灰濛濛的世界總是下著雨。西西莉和我站在窗邊，看著沃恩挖兒子的墳墓。

西西莉啞著嗓子說：「香橙園很合適，蘿絲就能在那裡找到他。」

很多人在這幢豪宅死去，但從未有屍體下葬。林登曾告訴我，他父親說過病毒會污染土壤，但我從來不相信。我認為屍體都變成沃恩的實驗對象了。但努力拯救林登二十二年之後，沃恩終於要讓林登入土為安了。

林登躺在輪床上，全身包裹著白床單，不知道為什麼，我就是忍不住擔心他會被這場綿綿細雨淋濕。

這座墳挖得不深，但已足夠。有足夠的空間讓植物根部伸展，讓植物在林登的上方生長。

當沃恩從輪床上抬起林登的遺體時，西西莉雙手緊握我的衣服。我肌肉緊繃。沃恩跪在墳邊，起初我以為他要把兒子放入墳中，完成下葬，但他卻掀開林登面部的床單。我心頭一怔。熟悉的林登，卻又完全不是林登。

沃恩抱住兒子，搖晃他，緊緊摟住他。西西莉把臉埋在我袖子裡，然後又改變主意，我們強迫自己看著。必須如此。他屬於我們，我們必須如此。床單再次拉上，遺體往下降，泥土覆蓋了他。

隨著林登入土，我的心也成了磐石，埋葬在我身體裡。

和林登共處的時光裡，我們說過許多話。深夜的臥房裡，有過許多編造的謊言，呢喃的細語。還有笑聲、怒氣、派對的喧鬧，偶爾還有實話。

但現在已無言語。雨點打在房屋上，滴滴答答響。

西西莉別過頭去，手指拂過我們姊妹妻三人常常一起喝茶的桌子。她步出房間時，我聽到她微弱的啜泣聲。

之後的整個上午，我都待在書房，蜷縮在又軟又膨的沙發椅上，那一直是我最愛的所在。我讀著珍娜喜愛的一本羅曼史小說。外頭不時傳來西西莉彈奏一首歌的前幾個音符，但她的體力只能彈個幾秒，沒有力氣彈完整首歌。

她說的對。葬禮不能算是了結。林登已經走了，我也看著他走，但就是覺得他還在某處。我內心處處都在吶喊著出去找他，帶他回來。

外頭雷聲大作，閃電四起。我盡力不去想林登一人獨自在外。我把注意力放在眼前的書頁上，但我已經讀了快半本了，卻連一個名字都記不起來，說不出到底情節為何。

有名侍從來找我。第一代的，官邸裡的侍從大部分都是第一代。他站在門口良久，猶豫著。也許他認為我是林登的寡婦，如果他用語不得體，我會就此心碎崩潰。所以他盯著我，而我則盯著書頁。

「什麼事？」我頭也不抬地說。

「戶長交代，要妳到樓下見他。我奉命來帶妳。」

我闔上書，擱在沙發上，讓裡頭那對愛得死去活來的情侶找到彼此，或完全失去對方。珍娜說那些故事的結局，不是過著幸福快樂的日子，就是全部人都死光。她說，不然還有什麼別的？

有時候我忍不住會氣她棄我而去。

叮咚，電梯門開了。西西莉從她臥房裡出來。她已換上睡衣，頭髮亂七八糟，希望這表示她有睡一下。「你要把她帶去哪？」她問侍從。

他不知道該如何回答才不會惹事。西西莉性情易怒，而沃恩今天不用跟她過招，就一定已經怒不可遏了。

「我只是要下樓。」我說。

「不能去，去了就回不來了。」她說。

「我當然會回來。」我說。

她大力搖頭，用身體擋著等待中的電梯。「不行，萊茵，拜託，不行，不可以。我知道妳去了就回不來了。」她說。

「西西莉！」我厲聲說。我想安慰她，但我太累了。我想找個謊話安撫她，但腸枯思竭。此時此刻我可以為自己編個美麗的謊言；從沒有人對我說過善意的謊言。「回床上去，沒事的。」

她不動。「妳不能丟下我一個人。」我把她推走時，她哭哭啼啼地說。我不想把她留在那裡，真的不想。但沃恩似乎已經認為她可有可無了。她還有什麼利用價值？又不可能再給他添另一個孫子。我不會讓她給沃恩決定性的理由下手，我不要也埋葬她。門要關了，她試圖擠到電梯門之間，但我將她用力一推，她的反應不夠快。

「謝謝。」侍從嘆氣，表情惱怒。「她實在很煩，大部分時間她實在有夠難搞。」

「今天早上她從窗戶看著丈夫下葬，而你今天早上做了什麼？」我說。

他清清喉嚨，眼睛直視電梯門。

電梯門在一樓打開，羅恩就在走廊等著我，從他蹙眉的表情來看，就知道他準備好要同情我了。我故作堅強。

「你們直接從廚房出去，車子就在外面等著。」我出電梯時，侍從這麼說。

電梯門關上後，羅恩說：「艾許比醫師已告訴我他兒子、也就是妳前夫的事了。我很遺憾，萊茵。」

我邊走邊輕聲說：「林登，他的名字叫林登。」

「妳對他仍有感情，是嗎？」羅恩說。

我用了傑拉德的詞。「他是我的朋友。」

我沒再說什麼，也不看他，不過可以感覺到他投來的目光。我哥對憐憫從來就不在行，他所謂的幫助，就是找出最快的方式去克服失去，而我卻還沒準備好，不確定是否可能辦到。

我行過走廊，穿過廚房，走到外頭。

沃恩在禮車敞開的車門旁等著。細雨在他灰色的西裝上留下了許多小黑影。我不敢看他，但他把手擺在我肩上攔住我，他告訴羅恩先上車，隨即把車門關上。

「我們協議的條件似乎有所變動，但我還握有妳想要的東西，對吧？」他說。

他低下頭直到我們眼神接觸，等著我回答那再明顯不過的答案，把我當成小孩似地。

「蓋布利歐。」我說。

「而且妳也還有我想要的東西。我還是需要妳的合作。」

我不曉得他還想從我這裡得到什麼。他已擁有我的ＤＮＡ、我眼球內部的細胞，還有我哥。他有足夠的油料，能帶我們所有人飛到一個人們繼續活著、對我們的不幸漠不關心，或根本是渾然不知的地方。但這些都無法救活他的兒子。

「我還能指望我們之間的合作嗎？」他問。

他的眼神近乎和藹。我必須別過頭去，但我點了頭。

「好孩子。」他說，然後為我開車門。只要沃恩還活著，就必定還有門要開，必定會有可怕的事物躲藏在門的另一邊。

前往夏威夷的航班上，沃恩說他很抱歉沒有為我們準備餐點，但是下一回的療程需要先禁食十二小時。他倒是給了我們藥丸，藥效發作讓我昏昏欲睡時，我還滿感激的。虛無縹緲之中，我感覺身體蜷伏在座椅上，眼睛闔上。

降落時我幾乎沒有意識，我想叫哥哥，但舌頭動都不能動。我眼前一陣黑，倒下去時，看到東方風情的地毯迎面撲來，然後有人拉住我的手臂，把我移到輪椅上。

悶熱感襲來，我聽到城市的嘈雜與陣陣浪潮，我深深墜入心中渴望的黑暗之境，外界的一切就此隔絕。

不過，黑暗並不徹底，也不完美，現實感仍一點一滴地窺探著——我身體下那張冰冷的金屬床；手術器材在置物架推車上叮噹作響；幾哩之外人們交談的聲音，生命在那遠處可以延續。

我清醒時，覺得嘴巴有異物，不住咳嗽，飛沫四濺，一根管子才剛從我的喉嚨抽出。我努力張開眼睛，看到護士正把管子拿走。室內明亮，我看不見護士的臉，無法判斷她是第一代還是第二代，或完全都不是。

她拿了一顆冰塊在我唇上滾動，說我很勇敢。我想問她發生什麼事，但說不出話來。

我聽見沃恩說：「現在好好休息，完成了，萊茵。全都完成了。」

林登在黑暗中陪伴我，他想說話。但事情出了差錯。我聽不到他說的話，無法理解。

「你得走了。」我對他說，而他照辦了。即使死者也知道，某些事情我們得獨自面對。

我再次睜開眼睛時，身處雪白房間，躺在傾斜的床上。

「萊茵？」羅恩說著，立刻從窗邊走向我的床側。他穿得一身白，白得和牆壁、窗簾與拉到我胸口的床單一樣。茶几另一邊有另一張床，被褥凌亂。我猜羅恩恢復得比我快。

他握住我的手。怪了，他從來就不是感性的人。我發覺現在我有力氣可以動動手指了，昏睡感漸漸消退。

我試著開口：「我們發生什麼事了？」

他露出一抹微笑，我幾乎沒見過他那種表情，從我們小時候還愚蠢地相信世界有希望時就沒見過。羅恩說：「艾許比醫師完成了，他改良了現有的解藥配方。他今早正式把結果上呈給金特立總統。我們原本都該出席，但妳還在熟睡，而我希望妳醒來時待在妳身邊。我想第一個告訴妳，我們被治癒了。」

我一定還昏昏沉沉的，因為我聽不懂，「我以為沒有一種解藥適用於全部的人。」

他捏捏我的手。「我們認為這帖藥可以。過去一星期，他在我們身上測試劑量，把數值與其他受試者比對。他測試了我們的荷爾蒙指數和細胞數，其他療法的異常在此種解藥上都沒有出現。」

這一大串訊息中，只有「一星期」對我有意義。

林登已經死了一星期了。

「萊茵？」羅恩說。我聽到自己在吸鼻子，然後淚眼朦朧，視線模糊。「怎麼了？」他問道，用袖口輕擦我的臉頰。

一星期。蓋布利歐因為知道太多事情而持續被迫癱瘓，也因為我是唯一可以喚醒他的談判籌碼。

西西莉孤伶伶一人。

「還有什麼事情更重要呢？妳聽懂了，對嗎？我們痊癒了。」

「我不在乎。」我趕在淚如泉湧、泣不成聲之前說。

「解藥」是我們語言中最珍貴的詞。一個短詞，一個簡單明瞭的詞，但卻沒有聽起來那麼簡單。衍生出疑問如下：十年之後對我們的影響是什麼？二十年之後呢？對我們的下一代會產生什麼作用？再下一代呢？我們的免疫系統會受損，我是這麼聽說的。我們會生出腫瘤，會對空氣中的毒素更無抵抗力。感冒之類的小病很可能發展成呼吸道感染。羅恩和我被植入追蹤器，我們的生命跡象被持續紀錄中，二十四小時監控。

同時，科學家希望研究成效適用於女性的生殖系統。已有研究計畫要讓第二代與天生不帶病毒基因的伴侶生育孩子，並測試其結果。這不是結論，而只是開端，一枚火苗。我們每個月要接受身體檢查。接著就要等待是否確實。在我二十歲、羅恩二十五歲生日之後，病毒應該不會影響我們。參與研究的還有其他五十名受試者，年齡不一，但我們全都得活過那致命的歲數，才能談是否要開始將這些研究成果公諸於世。希望每年有更多受試者加入研究，讓研究員建立起第一批受試者對治療反應的資料庫。

以上種種，當然，前提是沃恩改良的解藥配方能發揮預期效果，我們不會像其他研究的受試者一樣，死得悽慘。

另外，牽涉到議題敏感，研究過程又要保密，我們不能回到社會。總統沒有資金讓我們都住在此地，所以我們會回到美國本土，而我和羅恩，就會受到主治醫師沃恩的監控。

我又回到那熟悉的囚犯角色，只是這一次不用以嫁為人妻的形式被囚。至少羅恩不會再燒毀更多實驗室了。他得放下朋友不顧了，不過他好像也不想念他們，連提都沒提。也許正因如此，碧才會用那種輕蔑的眼神瞪我，她知道只要有我，羅恩就會拋下他所結交的所有朋友。

這一切都是羅恩告訴我的。他耐著性子溫柔地說，而我坐在窗沿，看著豎著繽紛色彩風帆的船劃過海面。

我沒碰床頭櫃上已經冷掉的晚餐。我沒發問，也沒表示我已經聽到他說的話了。

我看著幾層樓之下那些狀似完美的不完美人類，過著貌似完美的不完美生活，心想：要過幾十年，全世界才能再像這個樣子。我思考著：再過幾十年，又會有人想要把世界變完美，所以又把世界摧毀。

「萊茵，拜託妳，妳必須在乎。」羅恩說，他跟我一起坐在窗沿。爸媽死後，有天清晨他看我在生悶氣，一把掀開我身上的棉被，冷空氣讓我直打哆嗦。「我不會再凡事呵護妳了。」當時他說。但我想他現在也在這麼做，逼我接受這個消息，希望能治好我那無可救藥的悲傷。要他說「拜託」並不容易。

我靜默了一會兒，然後說：「你記得我們小時候都會抬頭看天空，假裝看得到其他行星嗎？你說金星是女的，頭髮著火了。我說火星跟蟲一起蠕動。」

「我記得。」他說。

我望著天空，萬里無雲的的藍天，看起來不像以前一樣無邊際。「我好久沒看到火星和金星了，我想他們死了。」我往側傾，頭枕在他的肩膀上。

「林登的死讓妳深陷痛苦，」他說，伸手環繞我，輕輕拉著我的頭髮。「但妳自己的生命還沒結束。妳必須繼續過活。」

「你儘管說，說我現在太易感。我知道你這麼想。」

「我想的是，我們分離的這段時間妳成長不少，但也許妳並沒有變很多。」

「你的意思是，我還是很軟弱。」

「妳從來就不軟弱，只是太有惻隱之心。我一直很擔心妳，在我們的世界裡，對人動情是很危險的。信任別人是很危險的。」

「我不明白你為什麼認為有辦法可改變。」我說。

「我只是不願意看到妳這樣。有什麼是我能為妳做的嗎？」

你可以殺了沃恩，放了蓋布利歐。你可以幫忙重建我們幾乎全毀的家園。你可以。

但房間肯定裝了竊聽器，所以我只說：「沒有。」

他挑起我的下巴，用手罩住我的耳朵，低聲說：「我不相信。」

我看著他，看到那天早上我對他說我要去帶林登回家時他臉上的表情。沃恩也許是羅恩的恩人，但我是他的雙胞胎妹妹。即使我們分離多時，他仍懂我。他和我一樣知道隔牆有耳。他知道有些話我不能說出口。如果我對哥哥的瞭解沒錯，他會找到方法來傾聽。

第二十七章

我們回到官邸的那個下午濕氣極重，空氣像放久了的洗澡水。

沃恩升級了我的鑰匙卡，我除了可以通行一樓和妻妾樓之外，還有權到賓客樓，也就是羅恩住的樓層。我從來不知道這房子有賓客樓，但根據沃恩所言，那就在妻妾樓的正下方。但待會兒有時間讓羅恩探索他的新住所。現在沃恩要我帶羅恩到花園走走，我想要的話也可以打開游泳池的全像投影。只要五點前回來梳洗完畢，準時吃晚餐即可。

我想我的前公公應該只是想把我們支開一會兒吧，雖然我一點也不急著再進去那幾堵牆內，我卻有事情要解決。「在這裡等一下。」我對羅恩說。我跟在沃恩背後進廚房。

沃恩走到走廊時停下腳步。他背對我說：「親愛的，和妳一起跑走的男孩還活著，多好啊。」

我心都快從喉嚨跳出來了。「蓋布利歐和這一切無關，我已經照你要求的，履行我的承諾了。」

「是的，妳的確是。不過在那個僕人取代我兒子之前，妳應該可以再花點時間假裝悲傷。」他說。

「假裝」兩字給我迎面重擊。我和林登在一起那麼久竟被化簡成這兩字，尤其沃恩絕對看得出我的痛苦是真的。我一向很氣沃恩，但現在我真想一拳揮過去，我真的覺得我可以。但一時的報復不值得接下來的後果。

「蓋布利歐不是替代品。他是活生生的人，他沒做什麼事該受到你這樣對待。」我用慎重的口吻說。

沃恩的肩膀緊繃，我以為他要轉過身來面對我，但他沒有。「現在跟妳生氣很不智，我本來想履行我的協議的，不過還得妳有點禮貌才行。」

電梯門開了，他隱沒其中。

「禮貌。」我低聲說。

我走回我哥身旁，又怒又悲又累。

「妳不舒服嗎？眼睛看起來很無神。」

「我帶你四處看看。」我說。

園子裡嗡嗡聲不絕。不知道蘿絲和林登是否在香橙園找到彼此了，把樹葉撥得沙沙作響的是否就是他們，從枝頭落下滾到土裡的柳橙，是否是他們正在玩的遊戲？柳橙輕碰到我的鞋。

「嗨。」我對它說。

「妳在跟誰說話？」羅恩問。

「我不知道。來吧，我帶你去看高爾夫球場。」

我領著哥哥穿過這座牢籠裡我最愛的一條路徑，如今他和我一同囚禁於此。我一度以為自己能得到自由，現在看來真蠢。如果這帖解藥當真發揮效果，也許我會比沃恩活得還久。也許到時候我就自由了。

那蓋布利歐會怎樣？他還要在那種狀態下多久，逐漸往二十五歲生日邁進？

我們走到游泳池畔，我打開全像投影機。靜止的水有了生命，孔雀魚在珊瑚間竄遊。

我們坐在池畔，看著魚兒擺尾。

「看起來好像真的。」我哥說。我想像從里德的飛機上看下來，我們會是什麼樣子。兩個有著金髮的渺小形體。我們眼睛的顏色不重要，沃恩注入什麼東西到我們血液裡不重要，我們不過是轉瞬即逝的東西。

我非常想再次飛行。我閉上眼睛，努力回想首次拔地而起的無重力感受，微微暈眩的那一刻。

沉默了一會兒後，羅恩開口：「事情可以說開了。現在四下無人，沒有隔牆偷聽的耳朵了。」

「牆，到處都有。」我說。

半晌就要晚餐了，羅恩用他的鑰匙卡進入電梯，他搭到賓客層，而我接著搭到自己住的那一樓。

「西西莉？」我步出電梯時大喊。

沒有回應。她的臥室空蕩蕩的，鮑文的奶瓶扔在凌亂的床上。我快步走到走廊，檢查書房書架的每條走道和起居室。鍵盤插了電，琴鍵亮燈連番閃爍，等著人來彈。我檢查珍娜的房間，乾淨整齊，無人動過。

我打開自己的房門時，撲鼻而來的是嬰兒爽身粉的熟悉味道，西西莉睡在我床上，鮑文也在睡，西西莉細小的手臂護在他身上。

她穿著林登的襯衫；敞開的領口落在肩膀下，下襬剛好長到她的膝蓋。

「西西莉。」我輕聲喚，在床邊坐下。

她縮了一下，睜開眼睛。

「萊茵？」她啞著嗓子。「萊茵！」她坐了起來。「妳去哪裡了？沒有人透露半點消息給我。他們連跟我說話都不肯。」

「我們待會兒下樓吃晚餐時可以聊。」我皺眉，撥開她臉上糾結的髮絲。她看起來很糟，要不是方才看到她在我床上睡覺，我會以為打從我離開，她都沒有闔眼過。

「晚餐？樓下？」她的表情好像吃到什麼酸東西。「也就是說沃恩戶長回來了？」

「來吧。」我說，把她從床上拉起。「我們把妳打理一下吧。我們不希望沃恩戶長看到妳穿林登的衣服。」她身上不曉得為什麼混合了林登、珍娜和鮑文的味道，完全不像她自己。

她腳步不穩，我牽著她走進浴室。她坐在浴缸邊緣，愣愣地看著我擰了溫熱的毛巾擦拭她的臉。她似乎也不在意我幫她梳開滿頭糾結的頭髮。

「妳想紮起來還是放下來？」我說。

「他很氣我嗎？」西西莉問。

「誰？」

「沃恩戶長。這些事他有怪我嗎？」

我解開梳柄上的橡皮圈。「我想他怪的是里德和他自己。」

「他應該怪我的。」她說。

「噓。」我把她頭髮紮成馬尾，盤成髻。「再過幾分鐘就要吃晚餐了，我們得想好要穿什麼。」

她點點頭，但我催她出去時，她眼裡噙著淚。「如果妳想要，可以穿我的衣服。」我說。

「我撐不起來，我要穿我的黃洋裝，袖子有鑲花邊的那件。」她說。

「那妳先幫鮑文穿好衣服，我來找妳的洋裝。」

我們幫忙彼此拉拉鍊，我在她髮髻上別了一朵絲花，增加點色彩。她看起來半睡半醒，但當我用拇指順過她的彎眉時，她勉強笑了一下。

「準備好要下樓了嗎？」我說。

她屏息數秒，點點頭，撫平洋裝。香橙園辦派對的那晚，她就是穿這一件，那晚她和林登第一次偷溜獨處，耳鬢廝磨。洋裝現在短了一些，胸部和腰部處也緊了些。她已經不再是回憶中那個小女孩了。我們都不是了。

我們的身影映在電梯門上，身著洋裝的守寡新娘，頭髮挽起，眼神堅毅。我們比自認為的還要更堅強，我們是受害者也是見證人，我們道了一輩子的再見。

她一手把鮑文攬在身側，但還是阻止不了他伸手去拔她髮上的假花。

「等會兒妳會見到我哥。」我說。

「他人怎麼樣？」她問。

「多半時候目中無人。」

她稍微笑了，但馬上變成急促的呼吸，她把頭靠在我肩上休息。

「我愛妳，萊茵。」她說。

「我知道，我也愛妳。」我說。

我們步入餐廳時，西西莉已鎮靜下來。羅恩和沃恩已入坐，沃恩見到我們時眼睛一亮，打破他自己的規矩，離開餐桌，雙臂張開接過鮑文。西西莉放手前還抗拒了一下。

前兩道菜的時間，沃恩都讓鮑文坐在大腿上，訝異孫子竟然不太需要協助就自己坐得那麼穩。他用湯匙餵鮑文吃蘋果汁和胡蘿蔔泥，鮑文每吃一口他就鼓掌叫好。

西西莉不發一語，但耳根子愈來愈紅。

我們幾乎沒動過的食物被收走時，沃恩說：「西西莉，妳一定得背著那個礙眼的小皮包上餐桌嗎？」他甚至不允許西西莉擁有這小皮包給她的些許安慰。

整頓晚餐她首次抬起頭，對著沃恩甜甜一笑。「鮑文很快就會爬了。」她說。

「小傢伙，是嗎？」沃恩問鮑文。「說不定你很快就會走了呢。」

「我會教他走路，走得離你愈遠愈好。」西西莉低聲咕噥。

「妳說什麼，親愛的？」沃恩問。

「我在想今天是什麼大日子，我們好久沒像這樣家庭聚餐了。」她說。

用「家庭」一詞來描述我們，實在是錯得離譜。

「的確是，對嗎？」沃恩說。「本來上週我打算跟大家聊一聊的，但事情不如預期，突發事件讓我的計畫變調。」

他是指林登的死。

「我本來是想宣布，我和一班優秀科學家，已經研發出解藥。」他說。

「解藥？」西西莉說。

「病毒的解藥。萊茵和羅恩是首批受試者。解藥還在實驗階段，但我有信心一定會成功。」他說。

她看著我，大惑不解。「妳痊癒了？現在？」

「應該是。」我說。也許我哥說的對，我惻隱之心太強，或是悲傷太甚，無法給予此事正確評價，因為我沒有感到一絲興奮。我還沒決定是否要相信。沃恩這人總是別有用心，居心叵測。

「艾許比醫師過去一年來都在為此努力。」羅恩幫腔。如果沃恩真有提起我的姊妹妻，我不知道他是怎麼跟羅恩說的，但我覺得羅恩很憐憫她。西西莉看著羅恩，好像他是個不明就裡闖進她家的陌生人，我猜對她來說羅恩就只是長得像我的陌生人。

沃恩告訴羅恩：「為了我們的西西莉，最好不要把事情複雜化了，她對事情的來龍去脈、前因後果總是搞不清楚。」

西西莉失望地盯著眼前厚厚的巧克力蛋糕。她整晚幾乎都沒吃。看得出來她滿腹疑問，但卻不敢問。而她仍處在烏雲罩頂的悲傷之中，一切對她都沒有意義，包括解藥。對她甜言蜜語的先生已經離世，她現在要靠公公的臉色過活，而沃恩已不再掩飾對她的厭惡。

「那妳會待在這裡？待多久？」她問我。

沃恩大笑，把鮑文舉到面前。「現在研究計畫是首要機密。任何知情的人都不能離開這裡。雙胞胎大概會在這幾堵高牆內生活個好幾年，也許度過餘生也不一定。」

沃恩用「雙胞胎」稱呼我們真是新的褻瀆，到目前為止最糟的稱謂，就連羅恩都向沃恩投以不悅的目光。但沃恩沒抬頭。

「那鮑文呢？」西西莉問。

「他怎麼樣？」沃恩說。他正在撥弄鮑文的鬈髮，捲度是遺傳林登的，但金黃髮色開始轉變為西西莉的紅。我想他和西西莉小時候一定一模一樣，而沃恩縱有滿腹遺傳專業，一定也這麼想。這點必定加深了他對西西莉的恨意。

「鮑文也能被治癒嗎？」西西莉一副完全不信的口吻說。

沃恩說：「他還太小，研究不開放給嬰兒。但等他大一點，我確定他一定會非常健康。你說對不對啊，鮑文？」

西西莉沒問她自己接下來會怎樣。她心裡有數。

第二十八章

「沃恩戶長一定會殺了我。」西西莉說。

她已經在我的浴缸裡泡了快一個鐘頭。我躺在床上都可以聞到沐浴鹽和肥皂的味道，我大腿上擱著珍娜的羅曼史小說。沐浴的氣味讓我憶起過去要參加林登的派對前，所花的數小時準備。我努力想忽略這念頭。我再也不能圈著他的手臂參加下一場派對了。我努力想忘記他再也不會回家的事實。

「沒有人要殺妳。」我說。

「妳沒看到他看著鮑文的表情嗎？一副想把他占為己有的樣子。」

「洗澡水一定已經冷了吧。」我說。

「我不過是孕育他孫子的子宮罷了，我已經沒有利用價值了。」她說。我聽到她拔起塞子，水急急旋入排水孔的聲音。

她擦乾頭髮時，我想專心於故事中那對命運乖舛的男女；他們還沒意識到深愛著彼此。我確定他們會及時領悟的。

西西莉躺到我身邊，她凝視著天花板說：「林登對他媽媽一無所知。她因難產而死。我第二次懷孕時也差點死掉。說不定第一次也是，只是當時我太累了根本不知道。現在因難產而死的比例有多高？我生鮑文生得那麼辛苦，後來身體就不好了。妳記得……」

「西西莉，不要講了。」我說。

「妳記得那次颶風來時沃恩教我下棋嗎？」她說。「卒子是最小的，他這麼告訴我。卒子就在我面前，我卻不知道我是他的卒子，而我現在連卒子都不如。我沒有用，只會干涉養育鮑文的方式。」

我翻過身，伸手堵住她的嘴，把臉湊過去。我壓低音量說：「聽好，有些事情妳不能在這棟房子裡大聲嚷嚷，我在這裡，我不會讓妳出事的，所以不要再講了，懂了嗎？」

她盯著我，呼吸粗重，氣息溫暖，眼神中閃過一絲絕望，一絲失落。但不管她是否相信我，她點頭了。

「很好，來吧，蓋好被子，我們都需要睡眠。」我說。

我們挪好姿勢，蓋上被子後，我關上檯燈。「我本來希望妳能朗讀故事，好讓我入睡。」她說。

我不覺得她現在可以承受淒美的愛情故事。「故事寫得不太好。」我說。

「我不在乎，我只是受不了安靜。」她說。

所以我說了自己的故事。我告訴她有個小女孩叫瑪蒂，不會說話，因為儘管她只是個孩子，卻知道這世界沒有東西可以給她。她找到方法躲在自己的世界裡，一個總是有音樂的世界，在海洋另一邊的世界，海水是最不真實的藍。在那個世界裡，有整面布滿窗戶的牆，居民起床拉開窗簾時，他們想要的一切都盡收眼底。這不是個完美的地方，沒有所謂完美的地方。但在一個有沙堡可堆、風箏可追、孩子誕生、衰老心臟停止跳動的地方，沒有人在乎完美。

她一下子就睡著了。她就是需要有人一起躺在床上，讓她覺得有安全感，跟她說好話。現在清醒的可是我了，滿腦子負面想法。過去一週以來，我的睡眠都是下重藥的結果。而現在，不管我痊癒了沒，前夫死前的身影一直縈繞在心頭。我們被甩出里德的飛機之前，不知道他在想什麼。不知道他嚥下最後一口氣前，身體有沒有痛，還是我們看著他斷氣之際，他早已離開軀體，俯瞰底下愈來愈小、愈來愈暗的世界，直到我們隱沒在綠意中。不知道我有時聽到的這個名詞有無幾分真實：上帝。人沮喪或悲傷時，都會說這個名詞，意指有比我們偉大的某物或某人，比我們過去選出的總統還偉大，比我們過去加冕的國王和女王都偉大。

有比我們偉大的東西存在，這個概念我喜歡。我們用好奇心摧毀事物，我們用一片好意去粉碎事物。我們不比一百年、甚至五百年前更接近完美。

我希望林登已經到了上帝所在的地方，即使那意味著他和初戀情人在香橙園重逢。我希望林登能夠聽到鮑文在花園玩耍時的笑聲。

夜色漸深，我發現我是睡不著了。如果我得再靜靜躺著不動，我一定會瘋掉。我從西西莉身旁離開，爬出被窩時，完全沒驚動她。我悄悄地走到電梯，按下按鈕，下到一樓。

站在戶外，感覺到夜色美好，溫暖，繁星點點。昆蟲嗡嗡鳴，唧唧叫，讓我覺得腳下的青草是活的。我赤腳走向香橙園。

我不知道為何來到這裡。我想我大概是希望夜色能讓這裡和白天有所不同吧。我希望能偷聽到逝者訴說祕密的呢喃低語聲。

我希望得到引導。

但當我聽到背後傳來令大地不得安寧的腳步聲時，那開口說話的不是鬼魂。「現在出來散步有點晚了，是不？」

沃恩從枝幹的陰影後現身，走到在盈凸月的光芒灑曳下的月色裡。

通常有他在場就沒好事，但今晚我懷疑他只是一個來看看兒子墳塚的父親。

「我睡不著。」我說。

「妳需要休息，我會派侍從送安眠藥到妳房間。」

「謝謝，但我已經吃夠藥了。」

他笑了，這一次沒有耍陰險。整個人顯得黯然神傷，喪氣不已。

「今晚看到孫子長那麼大了，實在很驚喜。雖然沒在他五官看到太多他父親的影子，小寶寶還是讓人充滿希望。看著他們成長是種喜悅，我已經在想他了。」他說。

他在柳橙樹下踱步，伸手摸向一根枝條，但卻縮了回來。「我本來也希望孫女能在這裡的，要是如此，她現在都會講話了。我會牽著她去散步，我會教她普通小孩不知道的事情。也許我會告訴她現在還有幾個國家存在。我會答應等她大一點，想去哪個國家我就帶她去。」

他說的是蘿絲和林登唯一的孩子。最可怕的是，我竟然相信他。

「為什麼當時你不乾脆讓她活下來？」我說。我覺得我們已經可以打開天窗說亮話了；我們都知道那孩子不是死胎。

枝條沙沙作響；林登和蘿絲正等著他回答。

那一刻我很確定有人躲在樹叢後。

「畸形兒，令人費解，沒有人能確定他們能活過一天，或一年。不確定他們能否說話，或是能不費力地呼吸。我孫女不會是她父母夢寐以求的小孩。她註定只會讓他們心碎。」

「那不是你能決定的，她不是你的孩子。」我說。

沃恩厲聲說：「林登是我的孩子，所有和他有關的事都和我有關。他一旦愛上了那孩子，又落得失去她的下場，他會崩潰的。」

這話也許屬實。也許。但是，不管是什麼方式，林登終究受了傷。失去女兒讓他心煩意亂，屢屢經歷失去更是重重打擊。林登對兒子的每一份愛，也同時滿載了他的歉疚，後悔把他帶到這個一切都無法長久維繫的世界。

「畸形有很多種，我孫女屬於嚴重的那型。但妳姊妹妻的畸形卻幾乎看不出來。」

「珍娜？」我說。

「是的，親愛的。」

我對沃恩建立起的一點點信任瞬間歸零。他一定以為我智商不高，才會認為我會相信珍娜有問題。「珍娜才沒有畸形，她很完美。」我說。

「她看起來是。當我兒子從妳們當中選中了她，我的第一個念頭就是他們日後要是有小孩，她的五官和他會是絕配。但那個念頭很短命。妳們在婚禮之前都做過體檢，我那時就發現她是金玉其外，敗絮其中。」沃恩說。

我開始覺得噁心。我不是很想聽，但還是聽了，因為珍娜是我的姊妹妻，因為現在除了我，也沒有別人能聽她的祕密了。

「她的子宮不過是一團疤痕組織，她永遠都不能懷孕生子。」沃恩說。「我必須把她另挪他用，我也的確做到了，不是嗎？我得知有種治療方法證實會致命。如果她沒這麼好管閒事的話，我也許還能救她一命。我的心血最好留給更重要的事。」

所以，珍娜的大祕密就是這樣。不過我確信這只是其中之一。

「蓋布利歐有參與其中嗎？」我說。

「不多。」沃恩說。他開始走出香橙園，我跟著他。「我告訴每位員工他們特定任務的必要細節而已。我從來沒有透露事情全貌。」

「那他會怎麼樣？」我說，緊跟在他背後。「你已經從我這裡得到你所要的一切。我很合作。」

「是沒錯。我一直想問妳這點，妳到底看上他哪點？他有什麼是我兒子不能給妳的？還是純粹因為跟侍從私奔感覺很浪漫？」他說。

「我希望他嚐嚐自由的滋味。重點不是他能給我什麼，而是他應該要有什麼。」我說。

「自由。我兒子嚐過一絲自由的滋味，不是嗎？在他死前？我花了一輩子保護他的安危，卻只要一……一瞬間，就結束他的生命。」沃恩說。我注意他他遲疑了一下。他是人中禽獸，但縱使兒子已經入土，他還是個父親。「自由很危險。」他下定論。

當然危險。蘿絲在她媽媽的嘉年華裡生活會很危險。西西莉孤苦伶仃、珍娜和姊妹在紅燈區討生活，還有我在曼哈頓的生活也很危險。林登如果待在地面上，一定還活得好好的，但是我們的安全是以囚禁為代價換來的。沒有自由的人生處處受限，綁手綁腳。

飛機墜毀那一瞬間，林登感受到的自由比他一輩子加起來的還多。我想相信那是有價值的。我必須相信那是值得的。

如果沃恩還有話說，也被他急促的呼吸聲淹沒了。他停下腳步，轉身看著香橙園，樹葉枝條在月光下銀黑交織，一顆顆的柳橙是唯一的朦朧亮點。

然後我驚覺他不只是呼吸急促，而是在哭泣。

也許我自己的悲傷蒙蔽了我的判斷，但我相信沃恩還是有人性的。

他話說完了，我知道，而哀傷悄悄地吞噬他。應該讓他獨處。

我才向旁邊退一步，一聲巨響就劃破天際，我著實嚇一跳。香橙園裡有東西窸窣作響，但並不是鬼魂。

沃恩摀著胸口，此時我看到他襯衫上一團深色的血漬。又一記槍響，他應聲倒地，驚愕的雙眼圓睜，不能瞑目。

我驚嚇到連尖叫聲都發不出來。

腳步聲朝我逼近，我看到月光下姊妹妻的紅髮。掛在她臀部一側的小皮包打開了，她手握著槍，用堅定的目光看著她的作為。

她依照所學，用大拇指按下手槍的保險。當她放下槍時，我看到槍柄四周鑲嵌的假翡翠。姨娘的槍。

我也看到她的下唇開始顫抖。她緊閉雙唇，瞪著沃恩靜止不動的軀體，不知道是想確認他死亡，還是她無法移開目光。

「西西莉。」我雙手擺在她肩上，她抬頭看我。

她張口欲言，卻又無言。她要怎麼解釋？言語又怎麼足夠？她子宮中有一處，未出世的孩子死在裡面。香橙園中有一處，她的丈夫埋在那裡。在這個大千世界裡，沒有人願意給她承諾。

我瞭解。我再怎麼被抽血，對沃恩都是不夠的。西西莉給他生了個孫子，在添第二個時差點死去，對他也是不夠的。珍娜被折磨得不成人形，蘿絲不願意忍受他的救命方法，如此痛苦，也是不夠的。

我們都是他用過即丟的東西，像牲畜一樣帶到他面前，被剝奪了為人子女、為人手足的身分。不管他從我們身上掠奪什麼，基因、骨頭、子宮，沒有一樣能滿足他。沒有別的方式能讓我們自由。

第二十九章

西西莉夢想著這一刻已經很久了。但把槍放到她手中的是姨娘。姨娘看著西西莉，見到沃恩最新的犧牲品。她看到這女孩眼底閃著復仇的光，所以她們在彩色帳篷裡促膝耳語。她們在大門相擁道別，祈願對方安好，同時那把槍就這麼藏入那粉色無邪的小皮包裡。

她花了好久時間告訴我姨娘的事，還說若林登還健在，謀殺沃恩大概仍只是癡心妄想而已。她知道這並非林登所願，她說，儘管丈夫對他父親有怨，他對暴力和欺騙卻極為不齒。他不會希望有另一樁死亡憾事。但林登不在了，她確定若不趕緊採取行動，沃恩一定會置她於死地，想到鮑文淪落為孤兒她就難以忍受。如果她沒有用脅迫侍從以取得的鑰匙卡跟著我到外頭的話，她可能還不至於有勇氣下手。她原本只想和我一同散步，因為自己不敢獨自在樓上睡。但後來她看到沃恩，於是躲起來，於是聽到他怎麼說珍娜。

我們坐在彈簧墊上，四周黑漆漆的，她最後總結：「我必須這麼做。」現在她渾身發抖，在月色的映照下，烏溜溜的眼珠發著愁。

我覺得她很勇敢，沒有人想得到她有這能耐。從小到大，沒有人用心傾聽過她的想法。

我把手疊在她手上。

早上，蓮花大門敞開。草地上躺著一把翡翠鑲嵌的手槍，上頭的指紋擦得一乾二淨。一位名醫橫屍犯案凶器幾呎外。

一切合情合理。沃恩已成為總統菁英團隊的一員，這個頭銜競爭激烈，免不了遭到嫉妒，更不用說他在狂熱的研究中，得罪了許多人，不少人曾遭他欺騙、竊取或是虐待。

西西莉和我在圖書室下棋；我們理應還不知道發生了什麼事。我們應該在等著吃早餐。她揀起卒子時手指不聽使喚地發抖。她棋藝比我精湛許多，但我們都沒有把心思放在棋盤上。「我在新聞上看過妳哥，但是直接看他本人……我倒完全沒料到他和妳有那麼像。太令人驚訝了。」她說。

我看著她把卒子放回同一格。

「我猜妳一定覺得心有歸屬，我從來沒有兄弟姊妹。有手足感覺一定很棒。」她說。

「妳有姊妹。」我說。

她抬頭看我，她還不太能微笑，沒有力量，但我知道我的話已打動她的心。

一名侍從慌慌張張衝進來，他解釋著戶長發生了大災難，倉皇失措，不知如何是好。沒了戶長、沒了總督，沒有命令可以遵守。

我們告訴他沃恩在世上還有親人，是他的哥哥。我們告訴侍從他的住所及聯絡方式。

在我們腳下的幾層樓，藥劑正慢慢從蓋布利歐的體內濾除。他的神智慢慢清醒，眼睛不時眨動。愛兒熟悉護理工作，她也有進入地下室的權限。

當里德趕到時，西西莉和我從廚房跑出去迎接。十多年來，他首次受邀進入他父親改建為家的這棟宅子。我們不需多解釋，他從西西莉的眼神就看得出來他弟弟是怎麼死的。也許當他教她扣扳機時，就已經知道她有那膽識了。

西西莉伸手環抱里德，淚水終於撲簌而下。

「沒事的，小鬼。」他說。她抱得好緊，有一瞬間雙腳還懸空了。

「一切都會沒事的。」

第三十章

「小心。」我說著，趕緊把拖盤先擱床頭櫃，因為蓋布利歐想站起來。我把我的棉被塞回他腳下。「你還不能站起來。」

「妳還不是一樣。」他說，但他接受了我在他嘴上的一吻。

「我很好，我泡了茶。至於你……」我戳了戳他的胸口，把他推向床頭板，「需要喝一點。」

他的眼神在我身上遊移，露出「好」的口形，把我的手包在他掌心裡。他想問我是否安好，但他不會開口，那只會讓情況更糟。我是盡了全力把眼淚吞回去，保持忙碌有幫助。

「這是洋甘菊茶，應該能助眠，不過我覺得是心理作用。」

他眼神明亮、湛藍，好像我從飛機上俯瞰夏威夷周圍的耀眼海水。他的臉頰又恢復紅潤，我循著他手腕上的大靜脈往上走，靜脈在前臂半截處消失。活著的時候，生命啃噬著我們。一旦死去，所有的顏色與動作馬上消失得無影無蹤，彷彿完全不能忍受浪費在我們身上。

「萊茵……」蓋布利歐說，同時我也脫口而出：「我想問你……」

我的手在他掌心裡握拳。

「妳先說。」他說。

「我想問你那晚沃恩在克萊兒家發現我之後的事。」我說，對上他的目光。「如果你不想討論也沒關係，我猜這也不重要，只是這幾個月以來我東奔西跑，對你的下落始終放不下心。如果故事能有完結篇，我便能放心掩卷。」

「我醒來發現妳不在床上，所以我跑出去找妳。」他說。

他用空出來的手端杯啜飲。他呼氣時熱氣在杯緣繚繞。

「然後沃恩把你打昏。」我說。我想起注入我手臂的針筒，那作嘔的感覺，還有眼前的一片黑。

「不是，沃恩戶長在人行道上等我，他知道我會出來找妳，妳那時倒在車子後座。我們在克萊兒家時妳就病了，但從沒看起來那麼嚴重過。他告訴我，如果他沒照顧妳，妳必死無疑。」

「所以你就相信他？」我說。

「當然相信。而且事實證明如此，不是嗎？」

「但他有威脅你嗎？你知道那麼多他的祕密，他是這麼告訴我的。他沒說你一定得回去？」

「如果我拒絕的話，他大概會吧。但我沒拒絕。」蓋布利歐說。

「你是……自願回去的！在花那麼大力氣逃離他之後？」我說，我聽到自己聲音中的怒氣，才察覺我有多氣憤。

「我想逃離他。」他說，用拇指托起我的下巴。「但並不想離妳而去。我爬進車裡，在妳身旁坐定，妳把頭枕在我的大腿上。妳不會以為我會那樣拋下妳。」

「看看你的下場。」我說。

「在床上品茶，而妳就近在眼前。那個決定很不智，但我承認我還是會做同樣的決定。」

我無法抗拒他的笑容。他從昏迷中甦醒不過才一天，就恢復得相當好。沃恩所下的最重的藥，似乎也不是求生意志的對手。

「我氣還沒消。」我說，但在他的親吻下，我話咕噥不清。

「不要毀了這個吻。」他說著，又吻了我，一次又一次，直到我投入他的懷抱。他手指張開，順著我的頸背往上探，滑進我的髮絲裡，一陣銷魂的興奮感襲來，但我卻瞬間僵住，屏息。

已經數月未和林登同床，我的床卻殘留他的氣味，我在枕頭上聞到那熟悉氣息。

「萊茵？」蓋布利歐說。

我坐了起來，眼睛痠疼。「我該準備晚餐了，西西莉和羅恩大概也還沒吃，你也應該開始吃點固體食物，你的胃腸大概已可應付了。」

他想說些什麼，但我在他話出口前就起身。我親親他的額頭，快步離開，走到薰香味瀰漫的走廊。西西莉已經點起薰香棒了。

我走進廚房時，裡面空無一人，但我才發出最細微的聲響，主廚就現身了，她用木匙拍我，叫我離她的食材遠點。只要我不煩她，我吩咐什麼她都做給我吃。

不過沒有人吃。羅恩出門去了，不知去哪裡逛了；而當我端晚餐到西西莉的房間時，她假裝已入睡。我把盤子放在床頭櫃上，親了親她的額頭，然後把門帶上。

蓋布利歐沒有逼我。我告訴他夏威夷的事，他只是聽。我們沒討論沃恩把我帶到這裡來的事實，或我哥哥的情況，或我的遭遇。我們只聊著各種色彩、閃爍的燈號，還有從高處往下看，海洋多麼像潑濺出來的一大灘水。

我們避開「解藥」和「希望」這類的字眼不談。希望始終特別殘酷。

我閉上眼，看到交通號誌在變色，看到滑過水面的三角帆。我把頭倚在蓋布利歐的胸膛，他撥開我前額的瀏海。我對他描述著那些美好的事物，而我不值得任何一樣。

「林登會死都是我的錯，他坐在我的位子上。我根本不知道為什麼讓他坐那裡，他明明就被那視野嚇壞了啊。」我說。

我睜開眼，轉頭看著他，視線卻一片模糊，原來我哭了，喉嚨好緊。

蓋布利歐緊緊環抱我，讓我更貼住他。而我也以擁抱回應，因為我只是個凡人，自私自利，仍有呼吸。我還活著，但不知道來日多長，也不知道所為何來。我哭到全身顫抖，罪惡感和悲傷如此沉重，卻又不足以讓我的心停止跳動。

感受不會讓妳死掉的。我是這麼跟西西莉說的。之前我也是這樣一再告訴自己。

「他不會希望妳這麼想，我不是很瞭解他，但這點我確定。」蓋布利歐說。

「因為他比我好，他從不願傷害別人。我也不想傷害他。我只想回家，但卻弄得一團糟。我害死了他。」我說。

「妳沒有。」蓋布利歐說。但是他不再繼續說，因為我哭個不停，他知道我沒心情聽他分析。他撫著我的背，說了些遙不可及的話。他說我很堅強，能活著是我應得的。他說我再也不需要獨自承擔。

天色漸暗，我斷斷續續地睡，夢到飛機窗外的世界。我想去找林登，但他不在摩肩擦踵的海灘，也不在任何一扇反光的窗戶內。我側耳聆聽他的聲音，但只聽到蓋布利歐的低語迴盪在雲端，隨著夕陽西沉，雲朵都染成了紅霞。

「打從我為妳偷地圖集時，我就愛上妳了。」蓋布利歐說，因為他以為我已經沉睡。

房門嘎吱一聲打開，把我驚醒。

西西莉怯生生地站在門邊。她說：「我敲過門，但妳沒有回應，樓下有個人指明要找妳和妳哥。」

我還沒完全清醒，心就怦怦直跳。「他要做什麼？」

「我不知道，但他很沒禮貌，他不願透露任何消息，只要求要跟妳說話。」

她瞥了一眼睡在我身旁的蓋布利歐，但仍面無表情。

「我馬上下去。」我說。

她一離開，蓋布利歐眼睛張都沒張地說：「我聽到她昨天一整夜都在走動。」

「她心煩意亂。」我說。

「那妳呢？」蓋布利歐問。

「我？我昨晚睡得很好。」

「我問的不是這個。」

「我知道。」我說，爬出被窩，看著鏡子內的自己，把頭髮紮成馬尾。「我還沒準備好要談那些。你在這裡、我在這裡，我哥、西西莉和鮑文都在這裡。」我用力拉平襯衫和牛仔褲的皺褶。「我想先對這一切感恩以對，如果你不介意的話。」

他給我一個虛弱的微笑。

「也許吃早餐時我會告訴你姨娘的計畫。我保證事情大多出乎你意料。」我離開前送出一個笑容。

等著要和我說話的男子是總統派來的官員，是醫師兼科學家，被指派來監測羅恩和我的進展，並且每個月護送我們去夏威夷體檢。他不會和我們住，只會透過追蹤器監測我們的血壓、脈搏、體溫等數據。談過之後才發現，根本沒有規定我們一定要軟禁在官邸內，那是沃恩為了操縱我們所編出來的。我們的確要嚴守祕密，凡洩漏者必遭處決，但該名官員也說，我們可以自由行動，只要每個月按時回來搭飛機即可。

我大可以從體內取出追蹤器，一了百了，但此時躲在走廊的西西莉奔了出來，提出一連串的問題，詢問她是否可以參與研究。她咬定自己是沃恩的門生，沃恩計畫等下一輪受試者招募時，要她也加入參與。雖然並未屬實，羅恩和我欣然附議。像沃恩那樣熱中研究的人，必定會想拯救自己的媳婦，這點沒有理由懷疑。

官員離開之後，西西莉上樓去，我和羅恩坐在廚房桌前。

「為什麼艾許比醫師那麼痛恨西西莉？」他問。

「他告訴你他恨她？」

「他不用說。那天晚上大家共進晚餐時，我從他的態度就略知一二了。除此之外，他從沒表示過試圖拯救她的半點興趣。」

我看著眼前冷掉的茶。「我想他嫉妒她。」我說。她承受了沃恩的惡毒，而且最糟的是，沃恩還一度假裝愛她。「林登終於開始長大，終於會自己作決定，不管他老爸的意願，而西西莉是促成此事的關鍵人物。林登捨父親而選擇了西西莉。」

羅恩對著茶杯點頭。我不知道這樣解釋他是否瞭解，他只知道沃恩是位傑出的醫師，他沒見識過這個家庭所上演過所有恐怖、不堪的事件，而我也無意玷污他心目中的英雄，因為也是多虧了他，我們也許能活過預期的壽命。

「有天我會全部告訴你的。」我說。

「洗耳恭聽。」他說。

「不，我保證你不會想聽。」我說。

第三十一章

研究開放新缺額讓西西莉能夠去報名登記，是將近一年後的事了，蓋布利歐也一起加入。多年來策劃要調查沃恩的地下室實驗也不了了之。我們搜查過每個房間，找到各式各樣的儀器，卻沒有發現任何一具屍體。我覺得那樣也好，有些問題我永遠不想知道答案。

里德取消了鑰匙卡門禁系統，開放我從未涉足的所有房間與樓層。他把地下室的一整側改成溫室。

西西莉和我保留原本的房間，我們還是以姊妹妻互稱，有時乾脆當姊妹就好。西西莉後來覺得珍娜的房間最適合改成鮑文的育嬰室，於是我們姊妹妻閒置好久的房間現在又有了生氣，而且是截然不同的新意。

羅恩瞭解西西莉扣下扳機背後的原因。他表明站在我們這邊，但他還是認為，儘管沃恩喪盡天良，冷血墮落，最終拯救我們的，還是他。他是因為在實踐拯救世界的使命，才會訴諸極端的手段。我還沒決定這世界是否有救，但在我們這批研究受試者中，已開始討論要開放我們的邊界。解藥若有效，沃恩的解藥配方一定能擴及國內其他地方。

蓋布利歐不再想著要瞭解沃恩。他說我們得向前看，我也有同感。我們不再談報復或憎恨。對於生命中失去的事物，我們沒有忘，只是不再細數。值得我們活下去的事物還有好多。我們依然不被准許造訪外國，時候未到。但金特立總統允許受試者偶爾進入他私人的夏威夷海灘。在那裡我們可以聽到交通繁忙的聲音，感覺到繁榮世界的魅力，但願有朝一日也能置身其中。在這裡最能觸及希望，有時候蓋布利歐和我會離群獨處，大膽走入海洋，只有在此時我們只有彼此，才能談情說愛，好像愛是座遙遠的城市。

葛蕾絲孤兒院的地址我還記得，我捎信給席拉斯，談及此研究。有一年他加入了，成為實驗最新的受試者，而且還對我的姊妹妻一見鍾情。西西莉愈發成熟，像個女人，可愛又有魅力。她對席拉斯的殷勤覺得很煩，但偶爾也能被席拉斯逗得笑出來。有天下午我們在海灘淺水處涉水漫步時，我對他說：「小心翼翼對待她，我知道你把妹很有一套。」他聽完對我踢水。

西西莉對這一切和我一樣躊躇再三。她還戴著婚戒，認為林登永遠是她唯一的愛。但也許有一天這也會改變，如同我們身邊的事物已經開始在改變了。

我依然不確定，依然懷疑我能活得夠久，去瞭解像我父母之間的愛是什麼樣子。

不過，二十一歲生日的早晨，我醒來時感覺世界充滿無限可能。

西西莉拿著林登的素描板衝進我房間，也是在那個早晨。她嚷著想到讓林登復活的偉大計畫——建造他所設計的房屋。

每一天，我們想盡辦法讓林登活著，這對鮑文尤其重要，他什麼都不記得。西西莉對細節的記憶力極佳，就連微不足道的時光她都能編織成故事。她將記憶化為文字紀錄下來，於是便可永不遺忘。有時候，深夜裡她睡不著，踱到我房門口，害怕林登會從她記憶中溜走，於是我們就把彼此的記憶融合在一起——他拿著描圖板的角度；擦拭線條時那沮喪的輕聲喟嘆；乍看之下他是黑髮，但沐浴在陽光下卻滿頭茶褐色在閃耀。我記得一些她記不起的事，這麼說來他仍然是我們共同的丈夫，這件事過去將我們相連，未來亦然。

里德也有他的回憶。他告訴我們林登是個安靜又好奇的小男孩，總想知道事物的起源，用舊書堆房子，用紙牌疊高塔。他的回憶故事讓我們哈哈大笑，也更常讓我們潸然淚下。

我沒想到蓋房子計畫的進展那麼快，但有一天里德開始動工，就沒停手了。自從他雇用了承包商，房子的骨架似乎一夕之間完工。我能幫上忙的地方就出力，西西莉確定細節，如階梯的數量、花邊飾板的樣式等，一點都不馬虎。

「也許這樣能讓妳得到解脫。」蓋布利歐說。而我讓他拉我入懷。

我們讓鮑文幫忙上油漆，雖然他只有四歲，卻非常有耐性，刷得仔細。西西莉確信他長大後必成大事，成就足以影響世界。她不會讓他浪費一絲天分，因為光是能夠長大就已經是種恩賜。每一個新年頭，每一個嶄新的日子，都是完成更多事的機會。我提醒她，她自己也還年輕，我們都是。等到房子蓋好，鮑文也大一點了，我們就要去旅行。我們會去見識過去以為只出現在書本的東西。我們會爬上高山，從飛機上跳傘，去看看和我同名的那條河。羅恩相信爸媽是希望我們能目睹那條河的，他們知道河在彼方等著我們去探索，雖然這不會是當初他們所想的方式，但我們終究會抵達。我們會盡可能把握生命中的每分每秒，因為我們還年輕，還有好些年可以成長。我們會成長，直到更勇敢；我們會成長，直到骨頭瘦痛、皮膚乾癟、頭髮花白，直到最後心臟決定是該停下的時候了。

（【化學花園】系列結束）

LOCUS

LOCUS

LOCUS

LOCUS